Données de catalogage publication (Canada)

Thierry
   Les portes du silence

ISBN 2-9808049-0-8

LES ÉDITIONS H.L.

leseditionshl@tlb.sympatico.ca

© 2003, Les Éditions H.L.
ISBN 2-9808049-0-8
Dépôt légal : 1er trimestre 2003

Bibliothèque nationale du Québec, 2003
Bibliothèque nationale du Canada, 2003

Achevé d'imprimer
en février deux milles neuf
sur les presses de Imprimerie Lebonfon inc.
Val d'Or, P.Q.
Imprimé au Canada

Thierry

Les portes
du
silence

*La vie est-elle
le chemin de l'évolution ?*

Les éditions H.L.

- LES PORTES DU SILENCE -

Il dormait d'un sommeil agité lorsque soudain, il sursauta, alarmé. Sueurs froides, panique, le coeur en débâcle. C'était l'angoisse. On aurait dit un orage dans ses veines.

Telles les vagues de la mer contre la falaise, quelque chose lui rongeait le cœur, qui surgissait dans sa nuit comme un spectre venant de son passé. Manque d'air. Serrement de gorge. Il suffoquait. Était-ce "le silence", ce vide profond et impitoyable qui l'avait brisé ?

Sans aucun doute car son désespoir le tenait captif d'une prison sans issue : impossible de s'en échapper. Personne à qui se confier. Pleurer ? Jamais ! Qu'aurait-on pensé de lui ? Ne se devait-il pas d'être fort ? Alors, sans ouvrir la bouche, dans le silence de sa nuit, un cri de détresse émana de son être et résonna jusqu'au fond des étoiles !

3

Pour adoucir sa souffrance, le suicide semblait la seule issue. Mais au fond de lui-même, instinctivement, il le savait ; il ne voulait pas mourir, il cherchait simplement à ne plus souffrir. Afin de calmer sa panique et de garder le contrôle de son esprit, il entreprit de faire des pompes, puis se mit à marcher de long en large, enfermé dans sa cage de ciment bordée de fer. La cellule est petite. À travers la fenêtre faite de façon telle qu'on ne puisse passer à travers, on voit des barbelés. Ces barbelés sont faits d'une manière tellement sadique que si tu t'y agrippes, tu t'accroches, tu te déchires de partout : ce sont des lames de rasoir ! Finies les broches à vache, démodées. Quelle violence ! Elle glace le sang !

Au matin à l'ouverture des portes, il enfila son manteau de toile verte offert par le bagne, attacha son capuchon et s'enroula le cou de son petit foulard en polyester gris, puis il sortit en hâte de sa cage. Emmitouflé, ses mitaines de laine noire aux mains, il marchait dans la tempête de janvier.

Seul dans la cour du pénitencier, il faisait face au vent avec ce besoin passionné de vivre. Il s'arrêta un instant et ferma les yeux pour jouir de l'air glacial qui lui pinçait le visage. Sans doute aussi pour ne plus voir pendant quelques instants ces tours froides qui le menaçaient de mort.

Alors qu'il défiait la rage du vent, il sentit sa souffrance le quitter un moment et s'apaiser en lui l'angoisse du mal de l'âme. C'est ainsi qu'apparut dans sa vie la volonté de survivre ! Dès cet instant, il prit la décision de combattre cet ennemi juré qui le tourmentait depuis si longtemps, ce fléau qui lui dévorait l'âme et lui volait sa vie. La souffrance humaine s'avère difficile à saisir et à comprendre. Tous les jours, chacun de nous côtoyons cette misère éternelle. Je la nomme ainsi depuis que, au coin d'une rue, alors que je me baladais sereinement, un homme parlait seul et criait haut et fort vers le ciel des gros mots. Son interlocuteur se nommait Éternel.

Les expériences pénibles que la vie nous oblige à vivre sont-elles capables de nous façonner ? Permettent-elles de choisir, de nous choisir ? Éduquent-elles ? Enseignent-elles où mettre les pieds ? Les émotions de nos expériences peuvent-elles nous guider ? Vous savez, celles qui laissent un feu déplaisant au-dedans et nous dictent sans doute de nous tenir à l'écart du négatif. Puis, il y a ce sentiment de manque d'amour qui refait souvent surface, émergeant de nos jeunes années : à tout prix nous voulons combler ce manque et gagner sur ce qui nous a fait défaut en se compromettant dans des scénarios désastreux.

Ces expériences néfastes nous feront-elles grandir vers la paix et comprendre le dialogue céleste ou bien nous feront-elles glisser vers l'amertume et la désespérance ? Qui en sortira vainqueur, la haine ou l'amour ?

Un jardin a besoin de soins, c'est l'évidence. Il faut l'entretenir et bien l'arroser. Un enfant ressemble-t-il à un jardin ? On en prend soin, il devient beau, mais si on ne s'y connaît pas trop et que les mauvaises herbes envahissent et étouffent les jeunes pousses, il dépérit et ne donne pas de bons fruits. Prenons exemple sur ce grand verger qu'est la nature : étonnamment elle prend soin d'elle-même, elle se régénère et se renouvelle. Ce procédé vital pourrait-il s'appliquer à notre âme ?

*

C'est son père au jour de son baptême qui lui avait donné le nom de Gabriel. Il y a de cela si longtemps ! Quand ce dernier remontait très loin dans ses souvenirs, il se rappelait que le bonheur avait déjà fréquenté son âme ! On aurait dit une lumière venant éclairer l'ombre de son être.

Aujourd'hui, dans la tempête, il se demandait comment faire renaître son coeur d'enfant endormi au fond de sa mémoire.

Pourrait-il retrouver ses qualités perdues, sa joie de vivre, son bonheur insouciant ? Et la liberté ?

Plein de gens, tout comme lui, ont ressenti dans leur prime jeunesse cette félicité qui dépasse les vibrations de l'extase et de l'enchantement. Loin de se douter alors que des séismes viendraient bouleverser leur existence, cette vie, la vie, ils la voulaient infinie.

J'aimerais laisser à mon temps
Un petit mot
Un mot qui adoucit
Un mot qui réconforte
Un mot qui éclaircit
Je suis sorti
De ma fureur
Comme d'immenses ravins à franchir
Comme d'immenses montagnes à gravir
Comme l'impossible à atteindre
Aveugle, je ne voyais pas
Ce qu'il y avait en moi

Un homme nourrissait les canards.

L'an passé, un ami m'invita dans un charmant chalet situé dans le nord du Québec. Il voulait me proposer d'écrire l'histoire qu'il allait me confier. Ce projet m'a tout de suite intéressé. Pourquoi ? Peut-être à cause que cet homme semble marcher dans les pas d'une paix enivrante. Il est de ceux dont les yeux reflètent une lumière intense. Cette lumière m'inspirait et je l'ai convoitée depuis. Mon coeur s'était-il éteint devant les désillusions de la vie ? C'est donc sans tarder que je me suis mis en route.

Prisonnier de ma routine végétative et maussade, ma vie avait perdu de son sens : plus de désir, plus de goût, plus de but. La main que Gaby me tendait deviendrait-elle celle du grand virage de ma vie ? Cet homme a toujours été un être généreux. Il me voyait sans doute errer, confus devant la vie. Avait-il été visité lui aussi par la même incertitude ? Celle qui gâche l'harmonie des jours et voile le sens du voyage, ne laissant plus en soi qu'un relent amer de déjà-vu ?

J'aime rouler sur cette route de campagne, enivré de soleil radieux. Le vent me caresse le bras, les vallons et les courbes me bercent. L'horizon boisé, les terres cultivées, les animaux dans leur pâturage et au loin à travers les blés, le village avec le fier clocher de son église. Comme je me sens bien. J'arrive au chemin Des saules. Un vieux pont permet de traverser le ruisseau et je file tout droit. Enfin, le dernier obstacle, la montagne qui règne comme la gardienne du royaume, et tout en bas, devant moi s'étend le lac de mon enfance. Pluie de souvenirs ! Me voilà d'un coup plongé dans mon passé. Un enfant heureux rempli d'espoir. Émerge ensuite comme dans un brouillard, le vague souvenir d'un bateau qui tourne en rond ; il se fraye un chemin dans mon esprit. Je m'entends crier "Papa, Papa" et l'eau me submerge tel un gouffre... Plus de trente-cinq ans, déjà !

Une croisée des chemins qui se présente devant moi me ramène à la réalité ; il me faut suivre attentivement la consigne : prendre vers la gauche et c'est le troisième chalet à droite. Donc, aucune difficulté pour trouver le site. La clef est sous la galerie, camouflée par une roche près de la marche du bas. En entrant, une odeur d'humidité me frappe au nez. Il me faut ouvrir les châssis et les portes pour laisser entrer l'air pur. J'entre mes bagages, me prépare un souper, regarde le coucher du soleil et je me couche ; demain, je dois me lever tôt, un rendez-vous important m'attend !

Gaby revenait me donner - enfin - l'espoir. Et je n'allais pas passer à côté de l'idée d'écrire ce roman. Au matin, près de la rive, j'assistais à la naissance du jour. Pendant quelques instants, les ondes vaporeuses du lac me berçaient, enveloppé d'une douce rêverie. Sa sérénité cristalline laissait entrevoir une autre journée radieuse. Le soleil dans mon dos commençait à me réchauffer. Je ne comprenais pas, je ne voyais pas, je ne croyais en rien au-delà de cette vie. Plus loin sur la plage, là où la rivière se joint au lac, il y avait un quai d'où mon ami Gabriel, fidèle au matin, nourrissait des canards. Cela me fit réfléchir, d'autant plus que je ne pouvais les voir qu'au bout d'un fusil ou dans une assiette.

Le cri d'un huard retentit au loin, rompant ce silence enchanteur ; il se tut soudainement pour faire place au son des coin coin et aux chants des oiseaux. Je me suis approché, intrigué. Il se dégageait de ce spectacle une paix adoucissante qui m'attirait tel un mirage. Mon ami souriait, seul, simplement. Durant un moment, j'ai cru qu'il touchait à la rivière par l'éclat de ses yeux.

- Bonjour !

11

Calmement, sans le moindre sursaut, il tourna vers moi son corps agile ; son sourire taquin dégagea de belles dents blanches pour une personne dont la chevelure tend à vouloir grisonner. Et ses yeux rieurs, son air poli, ses bermudas, sa chemise à fleurs, son chapeau usé : tout de lui révélait un intérieur pacifié.

Il me dit presque en chuchotant : "Approche en douceur, sinon ils vont fuir ! "

À ma vue, les canards se sont éloignés en glissant sur l'eau pour revenir aussitôt. Dans un battement d'ailes maladroit, un caneton sauta sur le quai. Ce nouveau venu n'était pas comme les autres : il boitait et son plumage trempé lui donnait une allure friponne.

Gaby lui offrit un morceau de pain en tendant la main doucement. Peine perdue. Le petit, instinctivement, se méfiait. Alors, mon ami dut baisser pavillon et lui lança un peu de mie.

Cette scène était emplie d'espoir et je me suis demandé si les hommes sont capables d'apprivoiser ceux d'entre eux qui sont blessés au fond de leur âme.

En le voyant nourrir ce canard, je me suis rappelé ces enfants, ces jeunes de la rue[1], brisés, égarés dans la tourmente de l'existence, tout comme cet oiseau boiteux.

Ne sommes-nous pas des instruments les uns pour les autres, comme le sont les événements ? Devant le chemin de l'inconnu, ne vivons-nous pas tous de ces épreuves qui nous font grandir ?

Même de nos pires erreurs, de celles qui nous portent vers les profondeurs de l'abîme, nous pouvons rejaillir. Mais parfois nos cheveux gris témoignent de la durée du parcours.

Nous étions en ce lieu où, au cours de sa vie, le personnage principal de ce livre venait si souvent se ressourcer. En le regardant accroupi devant ce mulard blessé, tel un ombrage, j'ai vu s'assombrir l'éclat de ses yeux si vivants. Il m'avoua, d'un même coup, son impuissance pour ceux qui bifurquent vers les voies du malheur. Avec toute son expérience, il ne savait pas quoi faire pour aider un peu, sauf peut-être me confier un présent précieux : ses mémoires.

---

[1] «Ces jeunes de la rue» doit être interprété pour les deux sexes.

13

Le délinquant

Donnez- m'en le pouvoir, et jamais
plus un homme ne sera attaché.

"Mon père vient d'Europe centrale. Né
durant l'entre-deux-guerres, il passa son enfance
à la campagne. Son père disparut soudainement
alors que le futur auteur de mes jours entrait à
peine dans l'adolescence. Puis, plus aucune
nouvelle de lui. Grand-père abandonna-t-il sa
famille ? Son nom à connotation juive le destinait-
il à la chambre à gaz ? Tout est possible, car sa
disparition survient au temps de la répression
allemande contre les Juifs, juste avant
l'Holocauste."

"Papa nous parla peu de son enfance.
Nous savons seulement qu'il vit le jour en
Pologne et que sa jeunesse n'avait pas été facile;
à la ferme, il devait trimer dur, sous les
instructions de sa mère, une femme rude qui
n'entendait pas à rire. Rien de plus. L'écho d'une

Deuxième Guerre mondiale sur le point d'éclater retentissait sur la surface de la Terre."

"Père gardait le silence sur les événements de cette guerre et sur l'occupation allemande. Nous, les enfants, avons bien essayé de le questionner sur ce cruel passé, mais en vain. Sans doute préférait-il oublier les atrocités de ce temps-là, peut-être ne voulait-il pas ternir la pureté des rêves de ses enfants. Peut-être espérait-il aussi effacer de sa mémoire un passé cruel, rempli de souffrances et de souvenirs morbides. Voulait-il se convaincre vraiment que ces horreurs n'avaient jamais existé et qu'il ne s'agissait que d'un mauvais rêve ? C'est après la guerre, jeune encore, qu'il décida de partir. J'imagine que son pays représentait pour lui trop peu d'espoir. Avec le goût de l'aventure, Kazimirz prit le bateau vers les Amériques, se joignant ainsi au mouvement de nombreux immigrants de ce temps-là. C'est ainsi qu'il débarqua aux États-Unis, à Boston. Un chapeau rabaissé sur son front et un habit gris reflétant la couleur de la guerre. Cheveux foncés, yeux bruns. Le front dégagé avec le nez un peu pointu. Et sa fierté qui lui donnait belle allure sur l'unique photo, témoin de ce temps-là. Sur les quais du port circulait la rumeur que là-bas, au Canada, dans la province de Québec, les mines promettaient des emplois à profusion. Il prit donc le train en direction du nord et traversa la frontière. Il était accompagné d'une quarantaine de compagnons et de la divine Providence : celle-ci les a bordés et nourris tout au long de leur randonnée. "

"Ensuite, pendant une année il a erré, un peu vagabond, travaillant ici et là pour gagner sa croûte, jusqu'à ce que son chemin l'amène dans une petite ville pittoresque du Québec. Une contrée accidentée, enrobée des quatre saisons et toute parsemée de lacs, de rivières et de forêts."

"Il dut affronter le froid et braver la tempête qui se rend maître du long hiver avec ses températures pouvant descendre au-delà de vingt degrés sous le point de congélation ; de la neige en abondance et des rafales de vents souvent violentes, redoutables parfois. "

"Le printemps, la première des quatre saisons dans l'Hémisphère Nord, se compare à la naissance de l'être humain. La vie projette de faire surface, voit le jour et grandit. Tout jaillit de la terre, comme les enfants de leur mère. "

"Au cours de sa randonnée, papa admirait ce grand miracle : la neige qui fond, les lacs qui doucement se décoiffent de leurs glaces. Les ruisseaux qui se réveillent soudain et, avec rage, débordent de leur lit trop étroit."

"Ces dénouements de la vie sèment l'inquiétude dans les grands yeux du renard mais pour mon père ils n'étaient que de l'espoir. "

"Au printemps, les animaux sauvages sont plus présents ; ils quittent leur cachette et nous donnent l'opportunité de les voir se dandiner dans la nature. Les ours, par exemple, sortent de leur longue léthargie hivernale. Ils laissent leur tanière à la recherche de nourriture. Après un si long jeûne, leur estomac crie famine : il est préférable de s'en tenir éloigné pour ne pas leur servir de petit déjeuner. "

"La nature brille, les grands voiliers d'outardes et de canards traversent le ciel, ils reviennent des pays du Sud. Leurs longues processions tapageuses serpentent joyeusement dans le ciel. C'est le signe que notre mère la Terre retire enfin son grand manteau de neige. Les cerfs, eux, s'aventurent jusqu'au bord des chemins pour brouter les jeunes pousses. "

"Regardant se défiler la beauté de ces paysages nouveaux, papa devenait, de jour en jour, un peu plus amoureux de ce si beau pays."

"Son cœur s'illuminait devant ces promesses nouvelles. "

"Au printemps, chez nous, tout revit ! Le soleil brille, les rues grouillent de monde et la nature se renouvelle. "

"Comme les filles sont belles et attrayantes, telles ces fleurs des prés qui nous surprennent de jour en jour de couleurs nouvelles. Elles qui paraissaient avoir moins d'attraits durant l'hiver, affichent soudainement une coquetterie plaisante : elles sont là, dans l'éclat du soleil, qui déambulent doucement, brillantes, vivantes, charmantes, pour plaire simplement. Leur beauté lui donnait le goût de vivre. C'est la saison où les jeunes partent en quête d'amourettes pour les vacances d'été et, qui sait, peut-être un jour se marier. Mon père rêvait déjà d'aventures dans les bois avec les enfants qu'il verrait jaillir d'une femme qu'il chérirait de tout son cœur. Dieu savait que son rêve se réaliserait ! "

"Quand les bourgeons du printemps eurent habillé la nature de sa verdure estivale, papa en fut ravi. Au long de sa migration, il expérimentait les doux plaisirs des lacs, les aventures en forêts. Il fit de longues randonnées à travers bois tel l'aventurier qu'il était. "

"La pêche l'attirait car elle lui offrait de belles émotions. Il me racontait qu'il allait taquiner le doré, ce poisson délicieux, qu'il aimait le

19

fugace combat d'une truite ! Et quand ces poissons se retrouvaient dans son poêlon, la délicatesse du repas augmentait la satisfaction de lui remplir l'estomac souvent un peu vide. "

"Lorsque vint l'automne et qu'il vit les arbres se parer de couleurs magnifiques, il imaginait la palette d'un peintre impressionniste dont l'âme recèle une secrète tendance à faire rougir tout ce qu'il touche. Une symphonie de rouge, avec toutes ses nuances, ses harmonies et ses contrastes. Tout ceci ajoutait au charme de ce qu'il découvrait dans ce nouveau monde. Suit la chute des feuilles. Les arbres dénudés, perdant leurs attraits, l'ont laissé pensif tout comme la mort. Cette mort qu'il connaissait si bien, qu'il avait dû côtoyer malgré lui durant la guerre. L'automne c'est aussi la saison de la chasse, plusieurs espèces d'animaux sauvages deviennent une source nutritive importante dans ce coin de pays. Mon père trouvait la viande sauvage succulente. Je ne peux ici passer sous silence lorsque j'étais haut comme trois pommes que, déjà assis sur ses épaules ou sur son sac à dos, il me trimbalait partout. Il avait l'oeil du tigre, il montrait du doigt en disant : "Regarde garçon." Et c'est ainsi que l'orignal, la perdrix ou le lièvre se retrouvait soudainement au milieu d'un champ de bataille. "

"Pauvres à la maison, nous avions grand besoin de cette viande. Ces aventures à venir allaient s'inscrire dans le livre de la vie de papa."

"Puis revient l'hiver, le long hiver avec son cortège de froidure et de neige. Il voyait à l'horizon les cheminées de la mine cracher leurs longs filets de fumée blanche au-dessus de la ville. Papa avait compris qu'il était enfin arrivé à destination. La neige a tombé, les lacs ont gelé et il se mit à expérimenter les plaisirs d'hiver : la pêche sur la glace mais aussi la pelle laissée à portée de main, de bons habits et la nostalgie..."

*

"Notre mère est née à la campagne, à dix milles d'une petite ville, sur une ferme longée d'une rivière de couleur glaiseuse : résultat du ruissellement et de l'irrigation des terres. Ce cours d'eau se faufile en méandre entre deux fermes comme un long serpent s'enfonçant dans la forêt, là-bas, au fond de la terre. La maison était située à quelques dizaines de mètres d'un vieux pont couvert. "

"C'est là qu'enfants, ma soeur Lina et moi allions faire tomber des cailloux par les fentes du tablier : ils faisaient de jolis ronds dans l'eau. Premièrement, il fallait décider qui des deux pousserait la petite pierre pour qu'elle tombe dans l'eau. Lina avait le plus souvent gain de cause. Mais parfois, c'était moi qui en avais l'honneur. L'élu poussait le petit caillou dans la fente puis, intrigués, nous attendions le bruit de la pierre qui frapperait l'eau. Nous nous mettions alors à rire de tout notre cœur et nous regardions par une ouverture, étonnés, le rond dans l'eau s'agrandir jusqu'à toucher les rives."

"Ma mère, tout comme ma soeur aînée, deux petits bouts de femmes, deux brunettes pas mal jolies, ont grandi dans une maison aux bardeaux vieillis, typique de ce temps-là. Une maison à deux étages avec une seule chambre au deuxième qui servait de dortoir pour les jeunes. Tous les soirs, chez grand-mère, nous nous devions d'être présents dans la cuisine pour écouter à la radio l'émission du peuple, l'émission qui devait sauver les âmes : c'était le chapelet en famille ! Il nous fallait le réciter comme des brebis. Ce rituel se portait garant du passeport pour le paradis et de plus, prouvait la soumission des hommes au Père céleste. Il ne fallait pas faillir à cette doctrine d'un Dieu vengeur, que certains prêchaient, car l'enfer attendait les récalcitrants, là où ils risqueraient de brûler durant l'éternité, ou du moins subir une attente interminable dans les limbes. "

*

"Dieu va te punir" disait-on ! *Vous vous souvenez ?*

"En fait, tous, dans notre famille, étaient croyants et pieux, tant du côté polonais que québécois-français. Ils mettaient leur confiance en un Dieu bon et protecteur. "

"Dieu est lumière, ce sont les hommes qui sont imparfaits. Son amour se perçoit dans les chemins de la vie. Les expériences de mon passé m'ont amené à le constater. Serait-ce à cause d'elles qu'Il m'a permis d'y toucher ? J'ai besoin de Lui, Il me supporte. Son influence a quelque chose de magique. Lorsque c'est Lui qui me trace le chemin, tout fonctionne, sauf peut-être quand j'ai besoin d'apprendre... "

*

Le vent s'était levé. Le cliquetis des vagues et le tremblement des feuilles rassuraient. Il s'est assis sur un billot, toujours avec cet éclat dans les yeux. Ce qu'il voyait ne se voyait pas. Son regard fixait l'horizon, contemplant comme une énergie essentielle et diffuse, sans doute celle qui prend soin de la nature et lui donne sa beauté.

Puis il leva la tête, un aigle planait dans le calme de l'azur. Il tournoyait doucement et s'éloignait à chaque tour.

*

"J'ai toujours rêvé de voler aussi haut que cet oiseau, dit-il. Le soir, j'écoute une cassette d'opéra avec mon baladeur, puis ma pensée s'envole. Je m'imagine valser dans les airs. Je m'élance, comme dans une danse, sur un pied puis sur l'autre en tournoyant sur moi-même, le regard vers le ciel étoilé. Je perçois alors ce qui permet de survivre : l'amour de la vie, sa grandeur aussi, ses charmes, et l'espoir. "

"La vie est si belle ! "

"Tout autour de la maison de grand-mère s'élevaient de vieux arbres centenaires, magnifiques, et devant l'entrée, une balançoire était suspendue à la branche d'un de ces géants. Un chemin de gravier passait devant, il empoussiérait la cour quand un rare véhicule filait à trop vive allure, ce chemin de campagne qu'avaient emprunté peu de temps auparavant le cheval et la charrette. C'était aussi un rang de cultivateurs, comme tant d'autres qui séparaient les terres de notre contrée durant les années quarante et cinquante. "

"Cette terre, combien de fois l'avons-nous parcourue mon père et moi pour y chasser le canard ? Près de la maison, il y avait une entrée pour les véhicules et un grand espace vert. Il y avait aussi un puits muni d'une pompe manuelle duquel on s'approvisionnait en eau potable. Les volailles couraient partout ! L'arrière de la cour ne donnait pas accès directement à la terre : un petit ruisseau les séparait et pour le traverser nous avions accès à un joli ponceau bordé de fleurs. Les enfants s'amusaient à y pêcher de petits poissons blancs. Ils servaient même de nourriture durant les temps difficiles. Ce ruisseau se trouvait à cent pieds de la maison et se jetait dans la rivière. "

"C'est là qu'un jour Clara, ma mère, trouva son petit frère noyé, flottant entre les billots accumulés près de la rive. Bien qu'elle eût douze autres frères et sœurs, la perte de cet être l'avait marquée profondément ; elle le chérissait et lors de l'accident, elle en avait la garde. On peut comprendre le sentiment de culpabilité ajouté à sa douleur. "

"Comme pour beaucoup d'autres familles, la vie était dure pour celle de ma mère : une kyrielle d'enfants, les plus vieux prenant soin des plus jeunes et ainsi de suite. On se devait de partir vite de la maison pour gagner sa vie. "

"L'adolescence n'existait pas alors dans les fermes québécoises. Quand un garçon de treize ans était encore à traîner à la maison, il passait pour un fainéant : il se faisait dire avec peu d'alternatives d'aller gagner sa croûte ailleurs, à moins, bien sûr, qu'il ne nourrisse le rêve de prendre la relève du grand-père. "

"Ma grand-mère était une femme fascinante, une sainte, assurément ! Elle avait sacrifié ses rêves de culture personnelle et sa carrière pour une histoire d'amour. Sans plainte ni regret, elle se consacra à sa famille, à ses treize enfants et au maître de la maison. À l'intérieur de son coeur existait une lumière qui nourrissait sa force, son amour le démontrait. Sur son lit de mort, elle se rappelait les prénoms de tous ses petits-enfants, jusqu'à la cinquième génération. J'aimais jaser avec elle. Son écoute était active, humaine, sans jugement. Elle me donnait l'impression de me considérer. Et que dire des riches conversations que nous avions ensemble !"

"Grand-mère voulait voir tous ses petits avant de partir pour le grand voyage. J'étais alors en prison. Elle attendit donc sur son lit de mort pendant six mois. Le jour de ma libération, je me suis empressé d'aller la voir et cette journée là, elle s'est éteinte. Cette grande dame s'envola quelques instants après nous avoir dit à chacun un dernier mot d'amour. Comment ne pas être ému et s'incliner devant tant de grandeur ! "

"Ernest, son mari, un homme dur mais loyal, avait la réputation d'être très sévère... Il mourut à l'hôpital, paralysé, cloué au lit les huit dernières années de sa vie. On le visitait plusieurs fois par semaine jusqu'à la fin. "

*

"Mon père a rencontré ma mère dans un camp minier, à une trentaine de milles d'une petite ville, au beau milieu des bois. Au premier regard, elle lui a plu ; cette petite femme du bout du monde était la sienne. Le destin avait accompli son œuvre. Il ne pouvait y en avoir une autre qu'elle. "

"Il la courtisa... Un jour de grand soleil, ma mère se trouvait sur le perron de l'église, accrochée au bras de grand-mère. Elles étaient magnifiques dans leurs belles robes bordées de dentelles. Une jolie ombrelle les protégeait des ardeurs du soleil. C'est alors que mon père osa se présenter devant grand-mère. Il lui dit : "Madame, permettez-moi de vous dire que vous avez à votre bras la plus belle fille du comté !" La jeune fille, surprise, cachait son émoi derrière l'ombrelle. Grand-mère souriait, complice. "

"Ce fut le coup de foudre pour ces tourtereaux. Le dimanche après la messe, le jeune couple se rendait dans un sentier bordé de fleurs qui longeait la rivière près de chez grand-mère. Main dans la main, ils déambulaient doucement, savourant ces quelques moments d'intimité. Quels mots d'amour avait-il pu lui chuchoter dans un français maladroit, mais qui devaient être dignes d'un beau poème ? La noce se déroula dans une grande simplicité, un mercredi de printemps beau à faire éclater les bourgeons. Il paraît que le soir venu, la fête allait bon train et certains ont même osé dire qu'ils s'étaient couchés aux petites heures du matin."

"Puis nous voilà, nous leurs enfants, petits spermatozoïdes partis d'Europe pour se joindre à leurs ovules prédestinées, sur une montagne de roche, aux confins de la planète. "

"Nous sommes nés dans une petite ville à plusieurs centaines de milles de Montréal. J'ai vu le jour par césarienne, le cordon enroulé autour du cou, tout bleu, que m'a dit maman. Ma sœur Karine était de cinq ans mon aînée et Lina me précédait d'un an ; mon frère apparut cinq ans plus tard. "

"Karine était gentille, attentionnée et charmante. Son sourire vrai accompagné de son air intéressé nous donnaient le sentiment d'être appréciés : elle nous mettait tous en confiance. Ce n'était pas une de ces personnes qui doivent apprivoiser les gens avant de s'en approcher ; sa présence plaisait. Ses yeux brillaient comme des étoiles. La vérité éclata beaucoup plus tard à propos de l'origine de ma sœur aînée. Elle serait issue d'un autre flirt, une amourette que maman aurait eue avant de connaître papa. Un homme qui, pour l'amour d'une autre, n'aurait pas honoré ma mère. Nous étions tellement innocents, tellement jeunes que nous ne nous étions doutés de rien. Notre famille suivait la morale de ce temps qui se voulait stricte. Cette grossesse illicite devait être cachée : une fille-mère représentait le déshonneur et la honte. C'est pourquoi Karine a habité chez grand-mère durant son enfance. Puis vint le temps où l'on mit de côté les principes pour l'intégrer à la famille et l'adopter : elle avait six ans. Même à cela, elle adorait habiter chez grand-mère, elle y résida le plus souvent jusqu'à l'âge de dix ans. "

"Lina, mon autre sœur, savait être espiègle. Elle me prenait pour son associé et m'envoyait faire les mauvais coups pour ensuite en tirer profit lorsqu'ils réussissaient. Quand je me faisais prendre, ma coquine de guide se cachait sous la jupe de maman et faisait l'innocente. C'est ainsi qu'elle joua un grand rôle dans mon éducation. Cette jeune comédienne tombait sans connaissance dix fois par jour pour ne pas subir la critique des grands, et ça marchait à tout coup ! La pauvre faisait bien pitié, mais quand on ne la regardait pas, elle relevait la tête pour esquisser un sourire victorieux. Je trouvais ça bien drôle et la couvrais. N'étions-nous pas, après tout, deux complices qui avaient une entente secrète ? Ma petite sœur, comme je la chérissais dans mon cœur ; gare à ceux qui lui auraient fait du mal ! "

"Puis vint Luc, de cinq ans mon cadet, le bébé de la famille. C'était un ange avec ses cheveux blonds bouclés et son caractère tranquille. Lors de la fête des Québécois, il aurait été un candidat idéal pour jouer le rôle du petit saint Jean-Baptiste. "

"Un beau jour, pour rien, Luc m'assène un coup de guitare sur la tête, reproduisant ainsi ce qu'il avait vu dans une bande dessinée. Quand j'outrepassais les normes éducatives de la maison, il en profitait pour me faire chanter : ou bien j'avais fumé une cigarette, volé une bière dans la caisse de papa ou encore je possédais une photo de fille un peu trop osée. "Je vais le dire à maman" me répétait-il ! "

"Luc restait quand même, avec ses boucles dorées, le bébé gentil. Nous l'aimions tous. Aujourd'hui, il est devenu père de famille, courageux, loyal et protégeant ses enfants. Fort comme des millions de pères pour le coeur de leurs petits. Ce sont eux qui ont assuré durant tant d'années la survie du monde, en se privant de tant de choses en silence pour ainsi aimer, dans un meilleur confort, celles qui leur ont donné et ont nourri ces beaux cadeaux que sont leurs petits. Leurs femmes ; celles-là même qui bordent le monde depuis qu'il existe. Mon frère est un grand homme et sa femme une grande dame. "

"Il y a eu trois autres enfants, deux filles mortes à la naissance et un garçon infirme qui mourut très jeune. Je n'ai aucune souvenance de son enterrement. Par contre, je me rappelle très bien des obsèques des deux autres filles quelques années plus tard. La première fois surtout, c'est moi qui devais porter le cercueil de ma sœur pour la mener au pied de l'autel. Habillé d'un bel habit neuf, mes parents étaient fiers de leur rejeton et me faisaient des tas de recommandations : marcher d'un pas cadencé, me tenir la tête droite, surtout ne pas rire, etc. Je tenais seul la petite tombe de mes deux bras, comme on porte une brassée de bois. Soudain, le couvercle, qui était mal fermé, s'est entrouvert. Ce n'est que bien plus tard que j'avouai mon inquiétude. Comment aurait-on pu imaginer qu'une tombe mal fermée m'avait fait trembler ? Moi, le grand, j'avais peur de la mort. "

*

Gaby s'arrêta, comme pris dans ses souvenirs.

L'idée de se poser une question sur la fin de la vie ne lui aurait jamais effleuré l'esprit, si à la mort de son grand-père, une tante ne l'avait vu étonné devant la froideur cadavérique du défunt. Elle lui avait dit : "On doit tous mourir un jour. "

La mort ! Cette réalité froide, sans espoir. Un retour à la poussière qui annonce une fin définitive, qui détruit la foi et tous les espoirs d'un au-delà possible et ne laisse à l'âme qu'un sentiment fatal de détresse.

La mort du grand-père de Gaby l'avait attristé, mais ce qui l'avait encore plus bouleversé fut l'annonce de sa propre mort, un jour, dans le futur. Il ne pouvait tout simplement pas concevoir cette fin. Il vaincrait la mort, ce destin, malgré tout. Il refusait de s'y résigner. Il aimait tellement la vie qu'il ne pouvait admettre de perdre ce bien si précieux.

Bien sûr, par la suite, il a tenté de se trouver une réponse convenable sur le sens de la mort. Mais aucune solution ne lui donnait satisfaction.

Bien des années de réflexion et de peur lui furent nécessaires avant que cette idée implantée dans sa mémoire par les propos morbides de sa tante ne cessent de le terroriser. Il se refusait de croire en cette réalité inéluctable ;

il voulait vivre indéfiniment. Comment pouvait-il s'imaginer que le corps ne soit qu'une enveloppe qui s'éteint pour laisser s'envoler l'oiseau ?

Le bonhomme sept heures

"Nous étions jeunes quand, à la maison, s'installa un mythe pour calmer les enfants et les faire se coucher tôt. Ma mère nous racontait l'histoire du bonhomme de toutes les heures du soir, à commencer par le "bonhomme sept heures". Un bonhomme qui, si nous n'étions pas sages et refusions de dormir, nous enlèverait pour nous dévorer tout crus. Sans laisser voir notre frayeur, du coin de l'oeil, nous jetions un regard discret vers le châssis et vite nous courions nous coucher. "

"Mon père me traitait comme un grand et ma mère faisait son possible pour nous aimer mais elle criait constamment. Ce bonheur névrotique, apanage de notre famille, dura jusqu'au jour où les orages commencèrent à gronder. Nous avons grandi au sein d'une mentalité patriarcale où l'homme est fort et bon pourvoyeur et où la femme demeure à la maison, satisfaite de ce sort. Papa m'accordait beaucoup d'importance ; j'étais son ami, sa fierté, sa progéniture, celui qui permet de ne plus être seul dans la vie, alors que les amis partent un jour, faute des liens profonds du sang. "

"Le paternel m'aimait d'un grand amour. J'étais l'héritier, l'enfant-roi, et je me suis pris pour tel ! "

"On me disait trop aventureux, pas assez peureux, inconscient même. Alors, on me couva exagérément. La surveillance était excessive, pour qu'il ne m'arrive rien de fâcheux. Privé de liberté dès les premières années de ma vie, je n'avais pas droit à autre chose que le parc ou la couchette. Parfois, j'allais dehors dans la cour arrière quand maman nous faisait prendre l'air. Elle me mettait un attelage à chien et m'attachait à la corde à linge pour que je puisse jouer dans le sable sans danger. Cette méthode me donnait au moins un peu d'espace. Durant ce temps, elle jasait avec la voisine, ma sœur accrochée à sa jupe. "

"Maman s'affolait souvent. Il faut dire que je démontrais un esprit téméraire par les coups pendables que je faisais. Comment aurait-elle pu se le pardonner, comment aurait-elle pu affronter son homme, s'il était arrivé malheur à ce divin enfant ? Il n'y avait pas que le petit fantôme de son frère mort noyé qui planait dans son cœur. "

"Plusieurs anecdotes vinrent justifier la prudence de maman : un jour je disparaissais ; un autre, une auto m'évitait avec peine car j'avais l'habitude de courir dans la rue pour aller chercher le ballon sans prendre garde aux véhicules. J'étais aventureux, impulsif, agité et surtout imprudent. "

"C'est de là qu'est venu le contrôle excessif de ma mère. Pour essayer de sortir de ma couchette, je la brassais en m'accrochant aux barreaux comme un singe turbulent suspendu aux murs de sa cage. Un beau jour, mon petit lit s'est renversé, m'a raconté ma mère. Je suis tombé en pleine face, le lit à barreaux par-dessus moi, retenu prisonnier dans une position très inconfortable. Je criais, pas de réponse. Habituée de m'entendre appeler, maman ne venait plus voir ce qui se passait. Commençais-je à douter de son amour ? Quand elle s'est décidée à venir voir ce qui se passait, elle a eu un grand éclat de rire, surprise de me voir dans cette position. Sensible, j'aurais aimé sans doute recevoir un peu plus de compassion. Comment aurais-je pu comprendre que maman puisse être débordée dans son rôle de femme au foyer ? Aujourd'hui, je me rends compte de tout l'amour qu'elle nous donnait. C'est simplement que j'avais une soif insatiable de tendresse. "

*

Gaby se tut. Il regardait les nuages, des larmes perlaient au coin de ses yeux. Sa voix tremblait un peu quand il a ajouté : "Comme j'aimerais que papa et maman soient encore vivants. C'est comme si je revenais d'un long voyage et ils me manquent. Je le sais, je saurais les aimer mieux. "

Soudain le sourire lui revint quand il dit : "Ça me rappelle les petits bouts-de-chou qui allaient retrouver maman, le matin. Nous nous glissions sous ses couvertures en lui faisant accroire que nous frissonnions. Ma mère mérite bien que je parle des caresses qu'elle m'a faites, qu'elle nous a faites, car il y avait des moments de grande affection. Maman ne faisait pas que nous changer de couche, nous nourrir et crier, elle me berçait, elle nous berçait. Nous avons tous eu droit aux chansons d'amour et aux belles histoires assis sur ses genoux dans sa chaise berçante, collés, collés. Oui, ma mère m'aimait, elle nous aimait. Je comprends aujourd'hui à quel point ce n'est pas facile d'éduquer une famille ! "

"J'avais environ cinq ans lorsque nous avons emménagé rue Laval, au bas de la côte, en face du lac Douard. En ce temps-là, on le surnommait le "lac à merde". Aujourd'hui, on en a fait un beau parc plein de fleurs et de verdure. Quel changement ! "

"Notre activité préférée, pour Lina et moi, était de nous bercer sur le sofa de la maison. Nous nous frappions le dos contre le dossier de ce vieux divan à ressorts et nous rebondissions durant des heures, passionnément, sans jamais nous lasser... Maman "sautait les plombs" de temps à autre, car ce vacarme d'enfer l'exaspérait. Ça nous faisait rire et nous redoublions d'efforts en nous berçant de plus belle. Quand Karine était à la maison, elle ne se gênait pas pour se joindre à nous. "

"Un beau jour de printemps, alors que mon père est à enlever les châssis doubles de la maison, Lina me dit : "Gaby, viens voir." Je m'approche et me penche en avant pour regarder le châssis de la fenêtre que mon père vient de déposer, lequel est appuyé en biais contre la maison. Malheur ! Je tombe en bas de la galerie et passe à travers la vitre. Je me coupe la langue sévèrement. Elle n'était plus qu'un lambeau de chair retenu par un peu de peau. Le sang gicle, j'ai peur. Je chiale à tue-tête : un enfant blessé qui a besoin d'être rassuré et qui pleure. Maman est là qui me crie après, plantée dans le cadre de la porte ! Lina, accrochée à sa jupe, semble muette. On a fini par se calmer et on m'a amené à l'hôpital pour me faire coudre la langue. "

"Quand un nouveau-né survient, il capte l'attention des parents et suscite parfois la jalousie chez les autres enfants, un phénomène qui arrive souvent dans les familles. Ce jeu d'inégalités se serait-il produit chez nous ? "

"Au fil du temps, j'ai réussi à me faire un copain. Il demeurait pas très loin derrière notre maison. J'étais un aventurier dans l'âme tanné de m'amuser dans ma prison. Quant à Lina, elle n'aimait que des jeux de filles... J'étais tout heureux et fier d'avoir un ami. Il possédait un petit train et un jour, il m'a invité chez lui pour jouer avec son "tchou-tchou". Maman me donna la permission. Ma joie d'enfant fût si grande ! La consigne était de ne pas dépasser l'heure de la rentrée. Comble de malheur, je suis revenu à la maison cinq minutes en retard ! Me voilà confiné encore une fois en punition dans le parc à barreaux. Je me rappelle souvent de cette scène. Quand papa est arrivé du travail, il a discuté avec maman de ma bévue. Accroché à mes barreaux, je les regardais comploter ensemble ; ils décidèrent de me punir en me défendant de retourner jouer chez mon nouveau copain. "

"À cinq ou six ans, ma tendance à me rebeller se démarquait nettement. J'ai donc décidé de me venger et de ne plus parler à mes parents. J'étais fâché de ce manque de confiance. Je pensais : "Vous allez voir qui va gagner !" Après quelques jours, mes parents commencèrent à s'inquiéter de mon profond mutisme. Ils se sont donc ravisés et m'ont donné la permission de retourner jouer avec mon copain. Mais, avec mon raisonnement d'enfant têtu, je leur ai dit qu'il était trop tard. Ils ont bien essayé de me convaincre du contraire, mais il était hors de question que je cède un pouce de terrain à l'ennemi ; cette guerre, je l'avais gagnée par les armes de la manipulation. "

"L'insouciance des conséquences habitait sans doute mon caractère depuis qu'on m'avait mis une couche. Je n'ai plus jamais revu ce copain. "

*

Gaby garda le silence un bon moment comme s'il aimait écouter les vibrations de la vie.

*

"Papa était un travailleur acharné et il ne pouvait se contenter d'un seul travail. Pour augmenter notre niveau de vie, il s'est mis à débâtir une vieille mine qu'il avait achetée à prix dérisoire. Et moi, j'étais son homme de main, même si je pissais encore au lit ! "

"Père fit l'achat d'un vieux camion rouge comme on en voit aujourd'hui dans les films des temps anciens. Les ailes étaient recourbées hors de la boîte, le devant avec un nez "chromé" et le capot bombé comme pour impressionner : un vieux camion standard des années cinquante. Le soir après le travail, toute la famille montait dans ce véhicule et on partait pour le vieux moulin de mine : moi collé sur papa, le petit à mes côtés dans son couffin et Lina sur les genoux de maman. Karine était chez grand-mère. Papa parlait, gesticulait, regardait partout sauf en direction de la route. Il était heureux comme un Polonais... "

"Aujourd'hui encore se défile cette scène dans mon esprit. Le vieux camion avance sur le chemin désaffecté, étroit et cahoteux qui mène à la mine abandonnée. Sur le coteau, là où la route traverse un chemin de fer, on peut voir jusqu'à l'orée du bois ce décor féerique, un spectacle fascinant ! Au loin, de l'autre côté de la lignée d'arbres, on aperçoit les vestiges de la mine.

À droite, il y a une épaisse croûte de résidus miniers, la "slam", comme on dit par ici : désert grisâtre quasiment blanc qui recouvre le sol et où rien ne pousse. Le chemin traverse une mare qu'il sépare en deux. Du côté gauche, tout vit dans ce petit système écologique : deux canards se promènent sur l'eau en couple d'amoureux. Ils ne se quittent que pour reprendre un de leurs petits qui s'est aventuré un peu trop loin et le ramener dans le rang familial. Des quenouilles poussent drues qui pourraient me servir de flèches pour un arc. De la verdure à profusion comme une vie remplie de richesses. Je conserve toujours dans ma tête le cri des criquets, le chant des oiseaux, les couleurs magnifiques du paysage, les fleurs innombrables. Tout vivait en moi-même en ce temps-là ! Le soleil tenait la place d'honneur et présidait au spectacle."

"De l'autre côté du chemin, l'eau est d'un vert glauque, triste, sans éclat ; les abords rouge acide sont parsemés de quelques chicots d'arbres morts dont l'écorce depuis longtemps déjà s'était désagrégée, dans l'attente de l'éternité. Rien de vivant. Mort et décrépitude. Le contraste entre les deux côtés du chemin m'a laissé pensif, comme un mauvais présage... le bien et le mal, la vie et la mort ! Le regard tourné vers l'horizon, mes pensés s'y sont arrêtées un instant. "

C'était le regard pur de l'enfant devant le chemin de sa destinée. Peut-être aussi ce contraste frappant du décor était-il annonciateur d'un avenir obscur ?

*

"À la mine abandonnée, le travail consistait à démolir le moulin et à récupérer tout ce qu'on pouvait : redresser les clous, ramasser les vieilles planches et le papier brique, faire brûler les fils électriques pour en récupérer le cuivre. Tout était bon ! Le projet de mon père était de nous bâtir un jour prochain une maison. "

"Je me souviens d'une fois... Le jour était sur son déclin, nous avions défait soigneusement une partie du toit du moulin. Il nous fallait maintenant redescendre pour empiler les planches et partir avant la noirceur. Papa me dit de le suivre. Il marche en équilibre sur la poutre de la charpente comme un funambule dans le vide, rejoint l'échelle et descend. Accroupi, mes bras entourant la poutre, le vertige me saisit, moi qui avait cru pouvoir éviter la panique. Mon père est en bas qui me crie après et me somme de me glisser sur la poutre. Il refuse de venir me chercher. Il fallait que j'apprenne de la même façon qu'il m'avait appris à nager ; en me poussant à l'eau et en me laissant me débrouiller seul. Papa voulait tellement un fils fort ! "

"En le regardant de mon perchoir, je me suis dit dans ma tête d'enfant : "La chute pourrait m'être fatale, alors papa ne m'aime pas." Comment pouvais-je comprendre qu'il voulait me former à la dure comme lui-même l'avait été ? Croyait-il que cette rigueur me permettrait de réussir dans la vie, d'accomplir ma destinée ? J'ai donc dû m'arranger pour traverser sur la poutre. Au début, je progressais pouce par pouce. La distance qui me séparait de l'échelle me paraissait interminable, mais peu à peu mon assurance me revenait et j'ai réussi à descendre."

"De retour le lendemain vers la fin de l'après-midi, on réalise qu'une partie du bois a disparu. Mon père m'enseigne la leçon qu'il avait apprise à la guerre : il m'arme d'un outil et me dit que si des gens revenaient pour nous voler, il fallait taper dans le tas. Ça n'a pas été long que les pillards sont revenus pour prendre le reste du butin. Ils croyaient intimider mon père, mais ce ne fut pas le cas. Ce sont eux qui ont pris peur. Nous avons même pu récupérer ce qu'ils nous avaient déjà volé."

"La bravoure de mon père demeurera pour toujours présente dans ma mémoire. Durant mon enfance j'aurais bien voulu pouvoir jouer plus souvent, mais le boulot obsédait papa. Il tenait à tout prix à notre bien-être. Mais à devoir le suivre, j'en suis venu à détester le travail ; l'intérêt n'y était plus. Toutes ces journées d'ouvrage me semblaient longues et pénibles. "

"Notre famille déménagea un peu plus haut vers l'ouest de la rue Laval. C'était une vieille maison en papier brique de couleur brune, infestée de souris. Le plancher était pourri et les murs intérieurs défoncés ; on s'amusait à passer au travers pour aller de la cuisine au salon. Durant cette période, nous étions encore assez pauvres. Mais le but véritable de notre déplacement était que, à deux pas de là, mon père avait fait l'acquisition d'un terrain. Il voulait mener à terme son projet de nous bâtir une maison. Ça été pour lui une somme colossale de travail, mais il parvint à son but. Et sitôt la construction terminée, nous nous y sommes installés. "

"Peu à peu, ma vie doucement s'enrichissait d'amis. L'hiver, chez un copain, nous faisions une patinoire derrière chez lui. On jouait au hockey et il m'est arrivé plus d'une fois de recevoir la rondelle en plein front. Couvrant la "prune" d'une main, je retournais à la maison en pleurant. Maman me consolait, me mettait une compresse de glace et j'étais à nouveau prêt pour retourner jouer. "

"Apparut soudain une bande redoutable qui hantait le quartier. Un jour, ils s'en sont pris à moi. Je n'avais plus le droit d'aller dans le quartier où se trouvaient mes amis et la patinoire, le gang me le défendait. Un beau soir, après le souper, à l'heure où nous avions l'habitude d'aller jouer, ils étaient tous là à m'attendre, ils me paraissaient être une cinquantaine. J'avais peur. Ils étaient tous dans la rue, comme à la frontière de leur territoire, me démontrant qu'il ne me fallait pas traverser la ligne rouge. Mon père me dit : "Va, Garçon !" Il ne maîtrisait pas bien le français. Je pars donc, inquiet. Je craignais de me faire attaquer et d'être mutilé. Soudain, ils prennent la fuite : papa était derrière moi qui gesticulait, apeurant ainsi la bande. Je ne suis plus jamais retourné dans ce quartier. La honte d'avoir eu l'aide de mon père pour me défendre et l'idée de tomber dans leurs griffes me tenaient à l'écart du territoire interdit. "

"Ceci ne nous a pas empêchés de faire des mauvais coups. Lina se cachait sous une galerie et je courais sonner à une porte tout près. Puis je la rejoignais ensuite pour jouir du spectacle. Et voilà qu'une fois, un homme dont l'allure ne présageait rien de bon sorti sur son balcon. Les jambes écartées, les poings sur les hanches, il avait menacé de nous étriper s'il nous prenait. Nous l'avions trouvé moins drôle ce soir-là ! "

"Ma sœur était le cerveau de notre duo de larrons. Pour nous trouver un peu de sous et pouvoir nous acheter des bonbons, nous avions élaboré un plan infaillible : Lina ouvrait un des châssis de cave du dépanneur du coin et j'allais chercher des bouteilles vides qu'on revendait ensuite, au même dépanneur ! Le commis du magasin s'en est aperçu, il nous a mis la main au collet et a avisé ma mère. Lina, qui jouait à l'innocente, disait devant ma mère, comme pour me faire la morale, que ce n'était pas beau de faire ça. Bien sûr, il n'y avait que moi qui pouvais détecter son petit sourire narquois. "

"Et voilà que, à force d'apprentissages, je prends la manie de faire des mauvais coups. Un jour alors que je jouais derrière chez nous avec un copain, nous avions mis le feu dans le champ, le contrôle nous a échappé et le feu s'est répandu. Nous nous sommes sauvés en face dans une remise. Par une fente, nous pouvions observer le spectacle infernal. Tout le quartier était en danger, le feu pouvait embraser les maisons. Arrivent alors les pompiers qui s'affairent à éteindre l'incendie. Soudain, une main puissante m'agrippe par le chignon du cou : deux grosses bottes noires, un grand manteau en caoutchouc et un chapeau de pompier, un géant ! Il me remet à la police, car bien sûr le coupable, de leur dire mon complice, c'était moi. Pour me faire peur, les policiers m'amènent au poste, me font visiter les cellules et appellent mes parents. C'était ma première expérience avec la justice : à six ans, j'avais déjà visité une cellule. "

"J'ai abandonné alors mon esprit aventurier pour intégrer le noyau familial. J'en suis devenu captif, comme l'aimant collé au métal, comme un trou noir qui attire en lui tout ce qui gravite dans ses parages. "

"Telle une coquille qui protège sa perle, la maison me sécurisait. J'en étais venu à la conclusion que si je ne quittais plus ce royaume, je serais en paix. À la maison, on m'avait convaincu d'être prudent au point où je craignais le monde. J'étais confortable dans ma bulle à essayer de découvrir si le Père Noël existait vraiment. Je vois aujourd'hui le Père Noël avec les yeux du cœur. Il est comme un être de lumière qui amène l'âme des gens vers un élan de générosité. Cet être légendaire sait trouver des solutions magiques qui semblent venir de nulle part pour offrir une aide aux plus démunis. Quand les enfants demandent un cadeau au Père Noël, ce dernier devient le réalisateur des souhaits des tout-petits. Il fait partie de la mythologie des temps modernes. Il habite dans le monde des anges, il n'est pas matière, il est esprit au service de Dieu. Il guide les parents comme s'il s'agissait d'acteurs jouant au théâtre la fête des enfants. Moi, j'y crois au Père Noël : il est spirituel, il est dans l'esprit des fêtes ; les cadeaux de Noël que j'ai reçus de la vie durant le temps des Fêtes sont là pour en témoigner. Je préfère croire en une pensée magique qu'en une réalité de gens désillusionnés qui ont été écartés de leurs rêves. C'est pourquoi, quand les enfants réalisent qu'il pourrait y avoir supercherie, je leur dis qu'il existe vraiment, il est l'être céleste favorisant les demandes des enfants. "

"Vint le temps de l'école. Quand le jour de la rentrée arriva, je ne voulais pas y aller. J'aurais bien passé ma vie entière dans la famille sans jamais en ressortir. Ma mère accompagnée de ma grande soeur Karine m'ont conduit à l'école. Il leur a fallu me tirer par les bras : deux traces de "ski bottines" de chez moi jusqu'à l'école. "

"Sitôt ma mère repartie pour la maison, je me suis sauvé de l'école. Après quelques jours de ce régime, mes parents ont pris les grands moyens : mon père s'est mis de la partie et c'est ainsi que j'ai fait mon entrée au primaire ! Il fallut quand même me placer quelques semaines dans la classe de Lina, juste à ses côtés, le temps de m'apprivoiser. "

"C'est à cette époque que la télévision est apparue chez nous. Ça ne nous avait pas trop étonnés, car nous en avions déjà eu des échos par les gens de la grande ville. L'avènement de la T.V. a quand même été pour la famille une grande découverte et nous, les enfants, utilisions tout notre génie manipulateur pour la regarder un peu plus tard que l'heure du coucher. "

"Vers l'âge de sept ans, j'ai reçu ma première bicyclette à deux roues, cadeau de mon père. "

"Papa disait qu'il voulait me récompenser pour mon travail. Avec un peu de recul, je sais bien qu'à cet âge, je ne pouvais pas l'avoir aidé beaucoup. J'étais plutôt une compagnie, une présence, un ami, un petit apprenti qui s'imaginait qu'on le prenait pour un grand. En mon for intérieur par contre, mon imagination me portait à croire que j'avais travaillé très fort à la réussite de notre famille, donc qu'on me devait beaucoup ! "

"Mon père m'amène donc en haut de la côte avec mon beau bicycle neuf, qu'il avait dû assembler, car nous l'avions reçu en pièces détachées. Lui qui avait la manie de toujours crier après moi, ne s'est pas démenti. Il me monte sur la bicyclette, ma sœur debout près de lui. J'étais terrorisé, prêt pour le spectacle de ma première envolée. Papa me donne une poussée et je pars, dévalant la pente. Je me dirige tout droit sur un poteau de téléphone. Ça roulait, roulait... Mon père crie, ma sœur s'énerve et je fonce sur le poteau. Toute une chute et le vélo démoli ! Mon père arrive en criant. Ébranlé et tout égratigné, je me fâche : "Papa les guidons ne fonctionnaient pas !" Il avait oublié de les fixer adéquatement et l'accident n'a pu être évité. "

*

Ce petit bonhomme fragile, haut comme trois pommes, vivait souvent dans la tempête !

Un enfant aussi blessé et dévalorisé par les critiques de ses proches meurt-il à l'intérieur de lui-même ?

*

"J'étais souvent puni et laissé à l'écart. De plus en plus, la dévalorisation faisait son ravage et l'estime de soi en prenait un coup. À l'école, mon rendement académique laissait à désirer : je me classais immanquablement au dernier rang ; à l'avant-dernier occasionnellement avec beaucoup de chance. Les félicitations pour les performances ce n'étaient pas pour moi. "

"À la fin de l'année, quand était venu le temps de recevoir les bulletins, existait la tradition de la remise des prix et des mentions honorables tant convoitées. Les premiers de classe recevaient les cadeaux les plus prestigieux, enrobés d'éloges. Pour moi, les cadeaux étaient minables, les rares fois où j'en avais eu, c'était la mention du plus nul. Une année, je m'étais efforcé comme jamais avec le résultat d'être l'avant-dernier de la classe. Déception ! Une seule fois, une enseignante m'a mis la main en douceur sur l'épaule en guise d'encouragement, suivi d'un sourire plein de tendresse malgré mes piètres performances. "

*

*La chaleur de cette main venait sans doute
contrer la montée de son sentiment d'infériorité.*

*

"Mes souvenirs me ramènent au petit lac
qui se trouvait à proximité de notre ville et dont
nous fréquentions la plage. Un jour que nous
rentrions chez nous vers la fin de l'après-midi,
Lina et moi sommes passés près d'un
attroupement de gens. Ils criaient tous : "Tue-le !
Frappe-le !" Un homme était en train de tabasser
un type qui avait fait les yeux doux à sa dame.
Coups de poing et coups de pied ! Le type, plein
de sang et étendu par terre, avait son compte. La
meute, avide de sang, criait à la violence pour
que le malheureux soit d'avantage mutilé.
Bouleversés, nous nous demandions pourquoi
personne n'avait cherché à calmer les hostilités. "

"Le coeur gros, triste de voir les grandes
personnes se réjouir d'un bain de sang, je me
suis dit : le monde des adultes n'est pas fait pour
moi !"

"Durant ma jeunesse, papa était à mes
yeux plus qu'un père, il était élevé en mon coeur
au rang d'un dieu ; un père qui m'accompagnait
partout. Mais sa présence n'atteignait jamais la
zone des sentiments. On aurait dit qu'il ne
comprenait pas mon besoin de tendresse et

d'écoute. J'aurais tant voulu l'entendre dire : "Je t'aime." Jamais il ne me l'a dit. Il devait croire que le démontrer, sans marque d'affection, suffisait peut-être ou est-ce moi qui ne le voyais pas ? "

"Papa m'amenait courir les bois. Nous passions des nuits à la belle étoile, couchés sous les sapins. Nous écoutions le cri des orignaux que nous venions chasser. Pour campement, il suffisait d'un sac de couchage, d'un lit de sapin et d'une toile cirée mise sur les branches de l'arbre sous lequel nous nous glissions. "

"Notre campement principal était monté de ce même genre de toile qui nous servait de tente de fortune et qui valait bien celles qu'on pouvait se procurer dans les magasins, selon mon père. "

"Le lit était formé de fines branches de sapin spécialement choisies, entouré de quatre billots qui servaient de base à notre repaire. Nous érigions sur la fondation une charpente en pignon avec des troncs d'arbre plus petits et nous y fixions la toile bien accrochée aux perches. Ça me rappelle de beaux moments de ma vie, comme ce jour où papa m'avait dit : "Viens, regarde." À l'oeil nu, on ne distinguait rien, mais avec les lunettes d'approche, on découvrait mon oiseau préféré, un héron magnifique. "

"Le héron est devenu pour moi signe de bonheur et porteur de bonnes nouvelles. "

"Ça me rappelle aussi une anecdote : j'étais seul au campement pour quelques jours, mon père devait me rejoindre. Une nuit, un ours est venu rôder autour du campement, il fouillait les poubelles. Le bruit des canettes qui volaient partout se faisait entendre et ça brassait à l'extérieur. Je me suis mis le nez dehors pour regarder, mais il n'y avait rien d'autre que la noirceur. Nous laissions toujours une entrée d'air au bas de la porte. Soudain, la lumière de la chandelle me laisse voir un nez allongé, de couleur noire avec le bout cuivré qui tente de se faufiler par l'ouverture. Il flairait sans doute de la nourriture. J'ai donné un coup de pied sur le museau pensant que c'était un animal quelconque pour ensuite me coucher, incertain et inquiet d'une attaque possible. Je me faisais petit en tenant ma carabine comme un toutou, prêt à faire feu. "

"Au matin, l'ours était là qui attendait près de la tente. Je tire sur lui à bout portant mais il ne tombe pas. Bien plus, le voilà qui fonce sur moi. Je tire encore, il ne tombe toujours pas. Je tire encore et encore, il fonce toujours sur moi. L'inquiétude en rajoute au stress. Il n'est plus qu'à une quinzaine de pieds. La frousse me prend. Va-t-il tomber ? Il ralentit. Ça me rassure.

Il arrive presque à mes pieds, se couche et ne bouge plus. J'ai eu chaud. ”

"Mon père m'a appris à être radical avec les animaux que nous chassions : pas de pitié. Alors que nous faisions une randonnée de chasse à la perdrix et au lièvre, il tire et blesse un lièvre. Il me dit : "Regarde, garçon". Le lièvre criait et gesticulait. Il braillait comme un bébé de sa voix perçante. Mon père le prend par les pattes de derrière et lui frappe la tête contre un arbre. C'était la façon d'en finir avec les souffrances de notre gibier. Sur le coup, j'ai trouvé ça barbare. Par la suite, je me suis habitué à mettre fin à la souffrance et à dépecer le gibier que nous prenions. C'était une période de la vie où il ne se passait rien de dramatique : devant moi se profilait un avenir plein de promesses. ”

"Nous déménagions souvent. Nous ne pouvions jamais compter sur un cercle d'amis stables, mais nous étions quand même heureux. Comment définir exactement ce qui se passe ? Comme si une bonne fée aurait de sa baguette magique touché mon cœur pour le fasciner devant l'existence. Il n'y avait rien de malsain en moi. Un amour confiant m'habitait qui me rendait incapable de comprendre ou de croire à quelque méchanceté que ce soit. L'innocence même ! Dans le coeur se cache l'amour pur, l'amour total. C'est lui qui nous permet de survivre. Le Diable, s'étant aperçu que Dieu nous parait d'un tel trésor, s'en est offusqué. Alors, je crois qu'il donna l'ordre à des armées de démons de nous faire la guerre. "

"Où qu'on aille dans la vie, on ne sait pas qui va l'emporter, le Diable ou le Bon Dieu ? "

"L'inconscience de nos jeunes années nous amena à jouer à la guerre, armés de carabines à plombs. Après quelques dents cassées et des plombs près des yeux, nous avons finalement réalisé le danger : où de concertation nous avons mis fin aux hostilités. "

"Arrivé à la puberté, rempli d'innocence, rien n'existait pour moi dans la vie que la morale et les dix commandements de Dieu. J'ai eu une très grande surprise lorsque j'ai quitté le foyer nourricier pour affronter le monde. "

"C'était l'éducation du temps. Côté moral, tout était impur : les désirs, les pensées et le sexe. Des péchés, il n'y avait que ça, péchés mortels, péchés véniels et les qu'en-dira-t-on. "

"Pour accomplir la routine de la confession, on devait aller à l'église régulièrement sous peine de l'enfer. Avant d'entrer au confessionnal, nous, les jeunes, choisissions des péchés dont nous savions que la pénitence ne serait pas exigeante, des péchés le plus véniel possible. Jamais nous n'aurions parlé des vraies choses, on aurait eu trop honte. De toute façon, aurait-on su écouter ? "

*

À force de se faire dire qu'il n'était pas bon par ses parents, par ses amis et par les enseignants, il en était venu à le croire. Finies pour lui l'autonomie et la créativité, fini le vrai moi !

Gaby se perdait, inconsciemment. Ce qui lui venait de l'extérieur étaient des repères tels que : tu n'es pas bon, tu es méchant, tu n'es pas correct, fais pas ça, ce n'est pas beau, que vont penser les voisins et ainsi de suite. Quand il exprimait un de ses besoins, il ne recevait que des refus. Ce jeune enfant obtenait satisfaction seulement quand ce qu'il désirait correspondait aux besoins des autres. C'est comme ça que Gabriel a fini par manquer de spontanéité et qu'il a appris le grand jeu de la manipulation : grâce à elle, ce gamin pouvait satisfaire ses besoins et ainsi faire son chemin. Gaby doutait d'avoir droit à l'amour véritable, celui qu'un enfant s'attend de recevoir de ses parents. Le prix de ce petit jeu qu'il a dû jouer pour survivre a été le désespoir.

"Au début, mon père nous poussait vers la culture polonaise. Fidèle à l'Association des polonais, il nous amenait à la messe polonaise et invitait le curé à dîner le dimanche. Ma mère, pour cette occasion, prenait son rôle de femme au foyer très au sérieux. Mais, petit à petit, nous avons commencé à perdre ces racines. "

"Bientôt, à cause du surcroît de travail, papa a délaissé les fêtes polonaises, l'église polonaise et les chants polonais. Pour nous, les enfants, ça faisait notre affaire : nous étions venus au monde au Québec et nous voulions nous identifier comme Québécois. L'intégration avait fait son oeuvre. "

"Mon enfance fut remplie des souvenirs simples d'un petit gars qui court dans les champs. Je m'émerveillais devant la nature, devant une "queue de poêlon" qui un jour prochain deviendrait crapaud ou grenouille. Tout était passion dans ma vie. "

"Il y eut un temps où l'on rendait visite aux frères et sœurs de ma mère. La grande famille avait toute une importance. Il y avait l'oncle Louis, le père de Roland, un cousin qui est venu habiter chez nous pendant quelques années. Il y avait la tante de la haute classe : quand nous allions chez elle, nous, les enfants, devions être bien sages. Il y avait l'oncle Nelson qui nous faisait rire et qui surtout avait de très jolies filles. Norbert quant à lui avait dû surmonter la misère. L'oncle Jean nous avait refilé un fameux "spot de chasse" ; René, le plus jeune, était défricheur ; Marguerite, mariée à Léon, les parrains de mon frère Luc étaient souvent partie prenante de l'aventure avec nous ; sans oublier Marie-Anne, ma marraine qui approche aujourd'hui les quatre-vingt-dix ans et qui est encore en forme. Oncle Gilles, son voisin, toujours fier de nous recevoir quand il restait à la campagne sur une terre près de la ferme familiale. Quant aux trois autres membres de la famille de notre mère, ils habitaient au loin et nous ne les fréquentions qu'occasionnellement. Ti-Jacques habitait la région des Grands Lacs, Armand le marginal le Manitoba et Hortense dans la grande ville de Montréal. Depuis ce temps, notre famille a perdu ses liens. "

*

Finie la fusion nucléaire, une culture perdue dans les générations et dans la routine.

*

"J'avais onze ans quand notre famille déménagea dans une nouvelle maison à l'autre bout de la ville, dans le "townsite". C'était aussi l'époque des ruelles et des amis. Un beau jour que j'étais assis dans la ruelle avec un copain, celui-ci m'explique la masturbation. Il m'en donne un exemple très concret suivi d'un essai tout aussi concret. Résultat peu probant pour une première mais l'expérience s'est avérée très agréable. C'est l'âge où la sexualité s'éveille. Alors que ce sport devenait pratique courante pour moi, il n'aurait pas fallu qu'on m'y prenne. Imaginez la honte si on avait percé mon intimité ! Avec des amis, nous nous employions à d'autres sports moins intimes : nous nous fabriquions des arcs avec des bâtons de hockey, des flèches avec des quenouilles et des bouchons de bouteilles de boissons gazeuses. Dans le champ derrière chez nous, nous allions jouer à savoir qui étaient le meilleur tireur. C'était aussi le temps des mauvais coups : sonner aux portes et se sauver, voler les bouteilles sur les vérandas, s'accrocher derrière les autos en hiver et se faire courir par des "bonshommes" qui n'entendaient pas à rire. "

"Chaque enfant occupe une place bien définie dans le cercle familial. Chez moi, j'avais l'impression de tenir celle du souffre-douleur. Quand j'ai atteint mes douze printemps, ça allait de plus en plus mal à la maison. Ma sœur Karine est venue habiter avec nous à plein temps. Elle était gentille et m'aidait à faire mes devoirs. "

"Mais elle finit par se ranger du côté de ma mère et de mon autre sœur pour me faire la guerre et me narguer. J'en étais rendu au point d'être inquiet de rentrer à la maison, car je le savais, ce serait la chicane. Cette situation va durer quelques années : de retour à la maison, après l'école, la bagarre prend à tous coups. Elles commençaient par me narguer jusqu'à ce que j'éclate ; puis suivait immanquablement la danse infernale des coups. J'essayais de me défendre de mon mieux mais les coups arrivaient de tous les côtés. L'agressivité remplaçait mon sens de l'humour, moi qui étais doux comme un agneau. "

"Quand mon père arrivait de son travail, il apaisait la tempête. Il me donnait une petite tape dans le dos en me disant : "C'est rien, garçon, c'est fini." Toutefois, je savais très bien que le lendemain, papa retournerait travailler et que la chicane recommencerait. Pour mettre un terme aux conflits, mon père, exaspéré, en est venu à dénouer sa ceinture et à frapper sur le coin de la table pour nous calmer. Mais il y avait aussi des moments où on se faisait tous rougir les fesses. "

"Un jour, Karine, qui devait avoir quinze ans, se trouvait à l'autre bout de la table et s'amusait à me narguer. J'ai "sauté les plombs" et je lui ai lancé ma fourchette. Elle l'a reçue en plein front ! Ma mère trouvait la situation trop pénible et peu de temps après, ma sœur entrait au couvent."

"Le pensionnat chez les soeurs, cette institution d'inspiration "chrétienne", orientait les jeunes filles vers l'enseignement. "

"La discipline du temps dépouillait parfois les jeunes filles de leurs rêves. Certains parents croyaient bien faire en attribuant beaucoup d'importance au bien-être matériel, à l'image et au prestige de leur progéniture. De fait, on pouvait même obliger les filles à faire le deuil des pulsions que dicte parfois l'amour, sous prétexte de vouloir leur bien, comme si les affaires du cœur n'avaient pas leur importance. C'était, je crois, un des rouages culturels du temps : une société différente mais qui avait aussi ses bons côtés. "

"Un beau matin, me voilà parti pour l'école : le trajet m'oblige à traverser un espace rocailleux parsemé d'arbustes. Avec des allumettes, je mets le feu à un récipient en plastique qui traînait. En fondant, le plastique me brûle les deux mains sérieusement. Je m'assois sur une pierre, tout malheureux et souffrant, sans savoir quoi faire. La peur de retourner chez nous me retenait, car m'y attendraient réprimandes et coups. Je craignais aussi d'aller demander de l'aide à l'école : on y corrigeait l'élève qui dérivait. J'ai fini par choisir le chemin de l'école. Je préférais le martinet du directeur par-dessus mes brûlures plutôt que d'affronter maman. Ce fut le bon choix : à ma grande surprise, la personne qui m'a reçu m'a soigné. Sans me réprimander, elle m'a bandé les mains et elle s'est même arrangée pour m'éviter la punition. Ce jour-là, je suis arrivé tard à la maison. Comble de malheur, au coin de mes lèvres était suspendue une cigarette : la préoccupation de mes blessures sans doute. Maman fut tellement surprise qu'elle m'a simplement dit : Tu fumes ! "

*

"Il y a partout des gens qui agissent avec amour. Ils aiment le monde et la vie. Ces gens-là passent le plus souvent inaperçus, comme si la générosité et la douceur étaient des phénomènes discrets. Puis, arrive un frustré comme une pomme pourrie dans un panier. Il peut corrompre son entourage et se fait remarquer par son comportement perfide. Il influence, porte peut-être le titre du bon, mais l'esprit éclairé ne s'y trompe pas à le voir agir. Il y a une chose à comprendre de la vie, celui qui nous juge à la fin, c'est soi-même : on ne peut pas s'abriter avec une fausse façade de bonté derrière le principe de la justice humaine et croire notre âme en sécurité devant la mort. C'est ce que nous sommes vraiment qui compte ! On peut mourir en paix avec soi-même, mais on peut aussi mourir dans la terreur ou le désespoir. Il paraîtrait que la pire des punitions serait d'être privé de voir Dieu. Quand on a le pouvoir en main, on a intérêt à y

65

penser. Il ne faut pas croire qu'on n'aura pas à répondre de nos manques de générosité. Au dernier moment, quand vient le temps de mourir, toute notre vie défile en une fraction de seconde devant nous et on sait alors qui on est. Aucune cachotterie possible. Tout est clair. Les yeux de la mort sont purs : n'espérons pas la tromper. "

*

"À cause de nos nombreux déménagements, nous, les enfants, avions souvent à nous refaire un cercle d'amis. Toujours vers l'âge de douze ans, je me suis fait un nouveau copain et comme de raison, il avait un meilleur potentiel que moi. Alors, j'étais à le suivre, au hockey comme ailleurs. Nous participions à toutes sortes d'aventures passionnantes pour des gamins de notre âge. Nous devions approcher quatorze ans quand, un beau jour, nous avons décidé d'aller au chalet, situé à une vingtaine de milles de chez nous. Aucune difficulté pour obtenir la permission de nos parents. Nous partons donc sur le pouce. La nuit tombait et bien sûr personne ne nous avait encore "embarqués" ; nous voilà donc obligés de marcher sur le chemin de gravier. Avec des ampoules aux pieds et des trous dans les souliers, épuisés de fatigue, nous y sommes quand même arrivés. "

"Le jour s'éveillait, il faisait très beau ; alors, nous nous sommes couchés sur le gazon pour nous reposer. Soudain, des cris se font entendre. "Au secours ! Au secours !" Une femme et une jeune fille gesticulaient sur la grève : un homme et son fils avaient été éjectés de leur puissant hors-bord. Nous nous regardons mon copain et moi puis, sans hésiter, nous partons avec notre chaloupe pour aller à leur secours. En arrivant sur les lieux du drame, je plonge, l'enfant disparaissait sous l'eau. Je le ramène. Mon copain s'occupait du père qui était blessé : l'embarcation tournait en rond et lui était passée sur le corps alors qu'il tentait de la récupérer. L'homme était étourdi et tailladé par l'hélice du moteur. Quant au jeune, il était sans connaissance. On lui a donné la respiration artificielle et il est revenu à lui. "

*

Il y avait bien un sourire au coin de ses lèvres quand il me regarda dans les yeux. Je lui ai répondu par un regard plein de reconnaissance.

*

"Il ne nous restait plus qu'à nous mettre au lit, épuisés. Ce n'est que le lendemain soir que nous nous sommes réveillés. Nous n'avions pas l'heure et nous trouvions bizarre que le soleil soit à l'ouest et non à l'est : nous avions dormi beaucoup plus que le tour du cadran ! "

"Le surlendemain au petit jour, bien reposés, nous voilà prêts pour nos aventures de coureurs des bois. Nous partons à la découverte du territoire situé de l'autre côté du lac avec plein de dangers à braver comme les nids de guêpes près de la rive, le vent qui rageait sur le lac et les courants forts. "

*

Jeux d'enfants ou jeux dangereux !

Il était loin de se douter qu'un jour, ces attitudes l'amèneraient à connaître la souffrance, cette fine compagne de la misère humaine.

*

"La libération de la femme commençait à prendre forme dans le cœur des filles, une idée qui ne me déplaisait pas. Elles veulent être traitées comme nous, alors d'accord. La femme était l'égale de l'homme et j'étais prêt à lui donner sa place. Un jour que nous jouions au ballon à l'école, les filles étaient dans leur section, les gars dans la leur. Pour nous agacer, les filles envoyaient le ballon dans notre territoire. Cela fatiguait tous les gars, même moi, le héros du groupe. Une bonne fois, quand une fille vient

68

pour chercher son ballon qui avait dérangé notre partie, je lui donne une poussée comme celle qu'on donne à un gars. Voilà toute la bande de filles qui saute sur moi et je me retrouve seul enseveli sous mes assaillantes. Après l'événement, les gars ont ri de moi, mais dans le fond, orgueilleux, surpris, ils avaient sans doute eu peur. Ils m'avaient monté contre elles puis sans aucune solidarité envers moi, ils m'avaient laissé à mon sort, humilié. Il n'y avait que mon copain, pris entre deux feux, qui cherchait une solution pour me sortir de ce pétrin."

"Ça ne m'a pas empêché de me faire une première blonde. J'étais très naïf, mais ma "bien-aimée" m'a facilité la tâche avec ses yeux doux. Je donnais un baiser à une demoiselle pour la première fois de ma vie, la bouche fermée, les yeux aussi, comme espérant une chose extraordinaire, un cadeau divin ! Quelle innocence ! Quelle beauté ! Nous ne savions pas encore ouvrir la bouche et joindre nos langues humides dans un tournoiement frénétique ressemblant à une danse. "

"Ma sœur Lina était franchement plus précoce. Elle nous est arrivée un jour - elle avait quinze ans - avec un gars de trente-cinq ans en décapotable. Mon père, scandalisé, en est resté bouche bée. "

"C'est l'époque où mon père acheva de construire notre nouvelle demeure. C'était un "bloc appartements" avec dépanneur annexé à notre logement. On y emménagea. "

"Un soir dans la cuisine, je regardais les étoiles par la fenêtre. La vie ne m'apparaissait plus aussi belle qu'avant. Même les étoiles étaient floues : c'était la myopie. Il y avait pour moi un signe dans ce phénomène, comme si les manifestations physiques avaient un autre sens. Parfois, je me demande si ce n'est pas le ciel qui nous parle ainsi. Ce soir-là, j'ai compris. Dans notre foyer, tout comme ma vue, l'amour devenait embrouillé. "

"Nous travaillions tous à faire notre quart au magasin. Financièrement, la précarité était chose du passé. Ce n'était plus l'argent qui manquait à la maison ! "

"Quant à moi, je me suis retrouvé mille fois mêlé à toutes sortes de problèmes. Ma famille en est venue à la conclusion qu'il n'y avait plus rien à faire avec moi. Mes parents se concertèrent et prirent la décision de me placer sans me demander mon avis. Ils en parlèrent à l'oncle Léon qui accepte de me prendre chez lui. Il possédait une mercerie incorporée à sa demeure, dans un village plus au nord, à cinquante milles de chez nous. Les membres de cette famille avaient l'habitude taquine, entre eux, de lâcher des flatulences et d'en rire. Un jour, je lâche un pet en présence d'un client, je croyais bien que ce serait comme d'habitude, qu'ils en riraient. Contrairement à mon attente, ils m'ont dit : "Tu ne sais pas vivre. Il n'y a vraiment rien à faire avec toi, nous allons te renvoyer chez toi." Et voilà que je me retrouve seul derrière leur maison, triste, le cœur gros, attendant l'autobus pour retourner chez moi. Mes parents m'ont accueilli convenablement, par chance. Mon père s'est rapproché de moi et souvent nous regardions le hockey ensemble à la télé tout en gardant le dépanneur. "

"Arrive l'automne, le temps de la chasse. Merveilleux moments de notre existence où il nous arrivait des aventures extraordinaires ! On marchait dans les bois avec de gros sacs à dos remplis de nourriture et de matériel, à plus de cinq milles du chemin le plus proche. Mon père était un homme courageux : il nous fallait être comme lui. Quand on tuait un orignal, moi et mon jeune frère devions aller à l'auto chercher les outils pour dépecer l'animal. Parfois nous devions partir à la nuit tombante à travers bois et marais. Papa ne voulait pas que nous apportions d'armes et il nous défendait d'utiliser une lumière de poche. "Les yeux s'habituent à la noirceur," disait-il. Nous prenions papa pour un timbré car nous avions peur des ours et nous ne l'écoutions pas.

Mon père voulait nous enseigner qu'il y avait beaucoup plus de danger dans les villes que dans les bois. Quand venait le temps de transporter la bête à l'auto, papa me mettait une patte du gibier sur l'épaule et il me fallait la porter jusqu'au chemin. J'y arrivais toujours ; épuisé, égratigné par les branches, trempé, sale pour être tombé maintes fois face contre terre avec la patte sur le dos, mais satisfait de l'exploit. On avait toujours plusieurs voyages à accomplir pour sortir notre matériel et l'animal. Ça forge le physique comme le caractère. Et, c'est mon père qui se tapait le plus gros de l'ouvrage. "

"La chasse se devait d'être rude. Jamais papa n'aurait consenti à nous équiper d'un véhicule tout-terrain. Tout comme pour la pêche : on jetait nos lignes dormantes à partir d'un pont ou d'un cap de roche. Ça lui a pris vingt ans avant qu'il ne se décide à acheter une chaloupe. L'hiver, à la pêche sur la glace, il fallait prendre le temps de damer un sentier. Pour percer les trous, on se fabriquait une tranche à glace avec du vieux fer. Il disait que sans ces difficultés, ce n'était plus du sport. Tout ceci est ancré dans notre mémoire et fait partie de notre patrimoine. C'était une façon de nous nourrir à bon marché bien sûr, mais aussi la possibilité de fuir la maison pour quelques temps. Ces activités servaient de périodes de vacances et de loisirs. "

"Aujourd'hui, quand j'ai l'occasion d'aller à la chasse, je délaisse la carabine pour admirer la nature et jouir du spectacle de la nuit. L'endroit où l'on va est fascinant. Parfois, on arrive après le coucher du soleil. Après avoir garé la voiture, on se prépare au portage qui nous mènera au campement. C'est tout près de là que nous avons découvert la "montagne magique" : une nuit, nous y avons vu un trou noir dans le ciel. Il était entouré de jets de lumière qui sautillaient dans l'espace. Ces rayons lumineux semblaient annoncer un spectacle, tout comme au cinéma. Porté par une fausse légende, on imaginait que la lumière du Soleil, notre étoile, se reflétait dans la nuit, captée par la gravité de notre astre, bondissant comme un tremplin sur nos lacs et les glaces du grand Nord. "

"Assistions-nous à une espèce de phénomène électrique prenant origine dans les hauts vents orageux du Soleil et qui vient brusquer le magnétisme terrestre ? Cette deuxième théorie, où des électrons se bousculent, ressemble plus à ce que la science appelle aurores boréales. "

"Par contre ce qu'il y a eu de magique à cet endroit, c'est qu'on a senti le magnétisme se rapprocher de nous jusqu'à nous transpercer. Ce qu'on voyait et qu'on a ressenti était agréable et beau à la fois. Je me suis étendu sur la mousse odorante et je suis resté un long moment, fasciné, à regarder le ciel. On sentait venir jusqu'à nous ces jaillissements lumineux qui dansaient dans les airs. Ils nous atteignaient comme une énergie, ils nous pénétraient. Leur magnétisme vibrait en nous. La nuit devint muette : tout se taisait, le vent, la symphonie de la vie. Tout autour de ce trou noir, le firmament était rempli d'étoiles, de milliers d'étoiles : diamants et saphirs suspendus au royaume de l'univers. Petit à petit, en son centre une boule de feu est apparue puis ensuite elle a glissé dans le ciel pour enfin disparaître. "

"Souvent, pour admirer le ciel nocturne, je descends le sentier qui mène au lac. Muni d'un canot, je me lance dans la nuit sur l'eau qui s'évade dans un creux de montagnes boisées. Je me glisse dans le fond de mon embarcation en m'assurant d'être protégé contre le froid. Soudain, mon esprit s'envole et la vie me chuchote à l'oreille ses doux murmures. Ça me prend en dedans. Quelle divine beauté ! Comme c'est grand ! Des lumières scintillent à jamais et remplissent la trame de cette toile céleste. Des étoiles filantes avec leur longue queue laiteuse et fugace traversent le ciel en un clin d'oeil. Des milliers de lumignons fragiles bougent, grouillent et palpitent dans l'espace infini. Que de vie dans le firmament ! J'imagine l'immensité des galaxies. Abasourdi, je reste des heures durant fasciné par cette magie qu'est l'existence. Quand l'humidité froide me pénètre ou que le ciel se couvre, je regagne notre camp de bois ronds. Doucement, je laisse glisser mon aviron dans l'eau cristalline et noire, sans faire de bruit pour ne pas porter atteinte aux vibrations de la nature et au calme absolu. "

"Un jour, pour admirer le ciel, mon frère avait installé un télescope au pied de la montagne magique. Je rêvais depuis si longtemps d'une telle occasion. "

"La nuit venue, je me suis habillé pour la circonstance : un jean, un bon manteau, un gilet de laine, un chapeau et des bottes chaudes. Eh oui ! Les nuits sont plutôt froides en automne. Je nous avais préparé un thermos de café chaud et des sandwichs. Deux chaises longues et des sacs de couchage complétaient les préparatifs en vue de l'observatoire. À la lumière d'une lampe de poche, je me dirige vers le site. Mon frère y est déjà. Le clapotement des vagues et la luminescence des étoiles amènent une communion entre le ciel et la terre. "

*

- Content de te voir !

- Et moi donc !

"Sitôt débarrassé de mes bagages, il m'invite à regarder dans le télescope installé sur une plate-forme. "Ce que tu vois, c'est un amas d'étoiles." J'avais l'impression de contempler des diamants d'une pureté céleste. À travers cette multitude de points brillants, c'est la perfection de Dieu que nous pouvions percevoir. Et nous voilà partis à scruter l'immensité céleste. Luc pointait le télescope vers la spirale d'une galaxie, puis vers une étoile, vers une planète, une comète ou un satellite. Il m'expliquait la lumière, reflet de notre galaxie, que l'on voit dans le ciel noir. Il me nommait les constellations et les étoiles. Ces noms avaient quelque chose de magique. Cette nuit-là, mon frère m'a fait voyager jusqu'au zénith de l'extase ! "

*

Gaby vivait avec cette soif intense ! Il appréciait la liberté, précieux joyau s'il en est !

*

"Après quelques heures de cette contemplation, Luc se donna la mission de faire un feu de camp. Nous nous sommes installés sur nos chaises longues pour siroter le café. Quand on voyait une étoile filante, on s'empressait de faire un voeu. Bien emmitouflés, nous nous sommes assoupis la tête pleine d'étoiles. "

"Je me rappelle qu'un jour, alors que l'adolescence m'accueillait à peine, mon père avait tué un orignal. Il vient me réveiller au campement pour me dire : "Fils, faire vite, venir voir". Je pars derrière lui. Arrivés sur le haut de la butte, à l'endroit du drame, nous pouvions voir un jeune orignal qui courait, en bas, près du barrage de castor. Je voulais le tuer, mais mon père me le défendit. "Garçon, me dit-il, si on le laisse vivre, il va être encore là l'an prochain." Il voulait me faire comprendre que si on abat tout ce que l'on voit, la nature, un jour, cesserait de nous prodiguer ses bienfaits. Alors, nous dévalons la pente et nous arrivons près de l'orignal que mon père avait abattu. Le jeune orignal âgé d'environ un an courait autour de nous comme s'il ne réalisait pas ce qui s'était passé. Mon père avait beau lui faire peur, lui donner des claques sur les fesses pour qu'il se sauve, rien à faire. Le petit orphelin est resté à tourner autour de nous jusqu'à notre départ. "

"Mon fusil était vieux et désuet. Mon rêve était d'avoir une arme efficace. Alors, me voilà parti travailler dans une cuisine de chantier pour me payer une belle carabine. Cet exploit en rajoutait à la fierté de mes quinze ans. J'ai étrenné mon arme lors d'une chasse avec mon jeune frère. Nous étions assis sur le bord d'une "dame" de castor sans grand espoir. Luc "calait" l'orignal quand soudain l'animal répond à notre appel et sort du bois : un mâle formidable, avec un panache magnifique. Je tire. La balle transperce l'animal, le sang gicle mais il ne tombe pas. Il tourne la tête dans notre direction et le voilà qui fonce sur nous. Je continue à faire feu sur lui. Quand l'orignal passe près de nous, je dirige ma carabine vers sa tête et d'une main, comme un cow-boy, en me tassant pour ne pas être transpercé par ses cornes, je tire en pleine tête. L'orignal a chancelé et il est tombé à l'eau, mort. "

"Il nous est arrivé bien d'autres aventures du genre. Celle entre autres des loups dans la nuit. Nous étions juchés dans un arbre lorsque soudain, au crépuscule, une bande de loups s'est mise à hurler autour de nous. Lorsque le soir tombe en forêt et que le vent se calme, ça devient très écho. C'était une de ces fameuses pleine lune d'octobre. Il n'y avait pas de vent et le froid commençait à se faire sentir. Les hurlements d'une meute de loups sont alors des plus impressionnants. Légèrement vêtus, grelottants, nous avions peur. Pas très loin de nous, à quelques pieds du sentier qui menait à notre campement, les loups s'affairaient à manger une carcasse d'animal. Quand un loup partait le bal, tous se mettaient à hurler dans un vacarme d'enfer."

"Le froid nous obligea à descendre de l'arbre. On n'y voyait guère, même à la pleine lune. Tremblants de froid et de peur, nous marchions dos à dos, en retenant notre souffle. C'est ainsi que nous nous sommes rendus au camp."

"Que d'aventures comme celles-ci avons-nous vécues ! J'étais vivant, je me guidais à la manière d'un Peau-Rouge, libre, sans malice, chevauchant mon innocence, éperdu de liberté. Mon père avait raison de nous inciter à ne pas craindre la nature sauvage : les loups ne nous ont rien fait. Par contre, je n'ai jamais pu traverser le monde civilisé sans qu'une meute avide de haine ne vienne me harceler."

"À la maison, la situation ne cessait de s'envenimer ; ça criait, ça se chicanait, ce n'était plus le scénario "moi contre les filles de la maison", c'était tout le monde qui se chamaillait. On était en train de basculer vers la névrose familiale. Personne n'a su y mettre les freins et trouver le contrepoids qui nous aurait permis de reprendre le chemin de la tendresse. Le magasin, la propreté de la maison, le cousin qui fait partie de la famille, le travail en double de mon père, tout ce surmenage m'amena à comprendre pourquoi le tumulte avait remplacé la douceur de l'amour. "

"Mes sens s'éveillent de plus en plus. Je vais souvent au lac, à la plage, près de chez nous. Lorsque le poil a commencé à me pousser, j'avais une honte affreuse de ma personne et surtout de ma sexualité. Mon éducation m'a tellement complexé. À la maison, on ne pouvait pas poser une seule question sur le sujet, c'était tabou. Pour défier la morale, je marchais ainsi dans la rue en me sortant le zizi comme si de rien n'était, tout en faisant bien attention que personne ne remarque mon stratagème. Comme j'étais complexé ! "

"Une fois, entre autres, je m'étais mis un costume de bain sur la tête en guise de chapeau pour défier le monde avec sa pudeur morale qui m'étouffait : je marchais sur le trottoir en revenant de la plage et j'ai fais quelques pas la tête recouverte de mon costume de bain. Ce geste avait une connotation sexuelle pour moi et j'en ai éprouvé une telle honte que je n'ai osé en parler qu'arrivé à la quarantaine. "

"Malgré tout ma vie d'adolescent se déroulait de façon normale. Mon coeur était plein d'espoir. La vie était belle. Nous allions à la plage avec les copains. Je me sentais bien au soleil et étendu sur ma couverture. Une fois, une fille m'a tenu la main lors d'une marche vers la source ; mon cœur valsait. Il n'y a pas eu que de la souffrance dans ma vie, sinon il y a bien des lunes que je n'y serais plus. Les filles commençaient à m'intéresser. Comme j'aurais aimé avoir le courage de m'en approcher et de leur parler! Mais je me voyait comme un moins que rien. La honte qui m'habitait et la peur de ce qu'elles allaient penser de moi m'apparaissaient un mur infranchissable.

"Il y avait pourtant beaucoup d'amour à la maison, mais nous étions incapables de l'exprimer convenablement. "

"Ma sœur Lina ne donnait pas sa place comme aventurière : un beau jour elle m'invite à aller au centre-ville dans les salles de danse. "C'est plaisant", me dit-elle. Elle n'a pas mis longtemps pour me convaincre. À treize ans, j'étais très figé. Alors à la salle de danse, je regardais la parade passer, trop gêné pour socialiser ou demander à une fille si elle voulait danser avec moi. Même leur parler me semblait impossible. Je demeurais planté là, incapable de provoquer le destin, rêvant d'amour et espérant que la providence m'en ouvre les portes. ”

"Un beau jour, Lina m'a présenté à des copains un peu voyous qui, comme moi, bifurquaient vers la délinquance. Ils m'ont invité à aller dans la ruelle boire de la bière. Je me laisse tenter et me voilà qui cours acheter quelques bouteilles au dépanneur ; le propriétaire fermait les yeux sur l'âge de ses clients à la condition que les jeunes passent par la ruelle pour faire leurs emplettes. Je me mets donc à trinquer avec eux. Après quelques instants, ma personnalité a changé du tout au tout. Je suis devenu comme j'avais toujours voulu être : brave, bien dans ma peau, confiant. Finies les inhibitions, voilà mon remède : la boisson. ”

"De retour à la salle de danse, tout libéré, confiant et à mon aise, j'invite les filles à danser et ça marchait ! Lorsque nous dansions un slow étroitement enlacés, je ne me posais même pas la question à savoir si la bosse apparue soudain dans mon pantalon les ennuyait. Je les embrassais dans le cou et sur la bouche, essuyant très rarement un refus. Les jeunes filles cherchaient la même chose que moi, la même chose que tous les adolescents, en fait : elles attendaient de pouvoir s'exprimer, de se découvrir, de s'épanouir dans la recherche d'une relation sentimentale, de l'Amour ! ”

"Le manque de confiance en moi me privait de tout. La boisson stimulait mon potentiel. Sans elle, mes désirs s'étouffaient pour faire place à ma douleur. "

"À l'école, ça allait de mal en pis. Mes enseignants me classaient parmi les marginaux et ils me punissaient plus souvent qu'à mon tour. Un bureau avait même été placé dans le corridor pour m'isoler des autres élèves. Mon professeur de français agissait comme suit : pour la dictée, ses conditions étaient de me la faire recopier autant de fois qu'il y avait de fautes dans ma copie. Une coup, dans une dictée de cent mots, j'ai fait cent dix fautes. Mon temps de punition était hypothéqué un mois à l'avance. C'en était trop ! Découragé, j'ai décidé de décrocher."

"De plus, une rencontre disciplinaire avec le directeur était prévue régulièrement. À cause de mon mauvais rendement et de ma conduite, il me frappait souvent. Une espèce de routine s'était établie. En entrant dans son bureau, connaissant la chanson, je lui présentais la main, sans dire un mot : des fois, je recevais des coups de règle sur les jointures, souvent il utilisait une grosse lanière de cuir épaisse et large pour me frapper à l'intérieur des mains, d'autres fois je subissais la violence verbale, les menaces ou la punition dans le coin face au mur, des heures durant. Tous les moyens étaient bons pour m'intimider et me corriger. J'en étais venu au point où j'avais hâte de me retrouver la face dans le coin, car au moins durant ce laps de temps on me fichait la paix. "

"Je commençais à en avoir assez de ce régime et je me révoltais. J'espérais qu'on me remarque, qu'on s'occupe de moi. Je voulais qu'on m'aime, simplement ! "

"Quand j'allais au centre-ville rejoindre mes copains, ils m'accueillaient. C'est ainsi que mon sentiment d'appartenance à ce gang qui traînait sur la rue principale s'est développé. Ma vie commençait à dégringoler. De plus en plus souvent, je séchais mes cours, je me tenais à la salle de billard, dans les hôtels parfois en prenant de la bière. Avec les copains, nous faisions des coups. En défiant ainsi l'autorité, nous voulions démontrer notre courage. "

"À l'école, mes enseignants et le directeur étaient dépassés. À force de me faire frapper, j'étais devenu rebelle. Quand la maîtresse m'envoyait voir le directeur, je me sauvais en passant tout droit devant son bureau. Un après-midi, le directeur est même parti à la course derrière moi. Il m'a rattrapé mais je lui ai tenu tête. Il n'a vraiment pas aimé et m'a expulsé de l'école."

"À la maison, c'était le même enfer. Là aussi, j'étais porté à fuguer. Je me souviens de ce soir d'hiver quand mon père, dans un excès de colère, m'a mis à la porte. Je devais avoir quatorze ans. Me voilà, avec un copain, parti pour faire du pouce. Nous nous sommes retrouvés en Ontario. Nous avions bien failli mourir de froid ! Épuisés, nous nous étions couchés sur un banc de neige. Il faisait nuit. Nous voulions juste nous relaxer, mais nous nous sommes assoupis. Mon ami, pris de panique, me hurle : "Gaby ! Gaby ! Réveille-toi. Réveille-toi ! Nous allons mourir gelés." Il y avait bien une lumière provenant de loin qui perçait la nuit. Les membres engourdis, un peu à la manière d'un robot, nous nous sommes dirigés vers la lumière qui, par chance, servait d'éclairage à une maison. Je crois que nous l'avons dit en même temps : "Pas question qu'ils refusent de nous aider." Bang ! Bang ! Bang ! Un monsieur inquiet nous ouvre la porte. Il a accepté de nous porter secours et nous sommes arrivés à la maison en autobus. Nous nous en sommes sortis en claquant des dents ! "

"Mes parents avaient perdu le contrôle sur moi. C'est ainsi que je me suis retrouvé sur le pouce à Montréal en train de visiter les gratte-ciel. J'avais quatorze ou quinze ans. Je me baladais aussi dans le sud de l'Ontario. Je m'achetais un pain et un pot de moutarde : avec

85

cette nourriture, je pouvais faire long feu pour pas cher ! Quand la chance me souriait, je mangeais du solide. "

"C'est à travers ces voyages-là que j'ai commencé à douter du bien fondé de l'enseignement moral de mes parents. Les valeurs qu'ils préconisaient me sont apparues comme des contes de fées, car ce que je découvrais sur la route de la vie était tout autre. Je croyais le monde bon, pur et sans tache. Mais ce que je constatais, c'est que les interdits étaient d'usage courant. Le bien et le mal, les méchants et les bons, je n'y comprenais plus rien. Ce que je découvrais n'était pas sensé se faire au point de vue légal, social et moral. La générosité et l'amour étaient des phénomènes rarement au rendez-vous. J'ai même été piégé pendant quelques semaines par un déficient sexuel qui m'a fait subir un traitement des plus bizarres qu'il est préférable de censurer.

"C'est bien honteux de parler de tout cela, mais j'ai été prisonnier de ce secret trop longtemps. C'est ce qui m'est arrivé et c'est ce qui peut arriver encore à trop de jeunes qui se vendent pour survivre ou qui se font, tout comme moi, piéger par un pervers. "

*

Les abus subis durant la jeunesse brisent les rêves d'amour, tout simplement ! Combien d'autres ont subi le même sort, qui croupissent encore dans cette prison de silence ?"

"*Se faire confiance,
se protéger des assauts de la vie,
endosser une armure
et ne laisser personne
s'introduire dans sa destinée.* "

Le soir venu, Gabriel avait allumé un feu sur la grève. Installé devant, il le fixait comme perdu dans ses pensées. J'étais assis en face de lui. Je le regardais. Son visage brillait dans cette lumière orangée montant de la terre : des bras tendus vers le ciel, des mains cherchant secours dans la tourmente. Je me sentais si proche de lui, comme si c'était ma propre histoire qu'il racontait, comme si mes propres fantômes rôdaient, tel un mirage dans ses souvenirs.

*

"Mon insouciance grandissait de jour en jour. Mes parents avaient perdu tout contrôle sur moi. Je me prends des cigarettes au magasin et je me sers dans la caisse pour aller jouer à la machine à boules. Je ne perds plus mon temps à demander des permissions : entrer dans des arguments sans fin, ça ne me tente plus. Je porte ma veste de jeans tout décoré de chaînes et de boutons en métal. J'affiche mes couleurs de voyou, voilà mon discours. "

"Il m'est arrivé de boire à la maison au point d'en être malade. Mes parents recevaient souvent des membres de la famille de ma mère les fins de semaine, quand ce n'était pas nous qui allions les visiter. Les hommes avaient l'habitude de s'attabler dans la cuisine et de prendre un coup. Les femmes, elles, s'affairaient à préparer les amuse-gueules et le repas. Moi, je faisais le tour de la table en buvant dans les verres de mes oncles. Papa avait ramené de l'un de ses voyages en Europe de la vodka très pure. Une simple gorgée mettait le feu au gosier. Après avoir bu quelques fonds de verre de cette liqueur, je commençais à être grisé. "

"Toujours dans la période où j'approchais les quatorze ans, me voilà qui trinque avec les grands. Mon père disait : "Laissez-le faire, soit qu'il boive toute sa vie ou qu'il se dompte tout de suite". Quand ils quittèrent la cuisine pour se rendre au salon en laissant quelques verres à moitié vides sur la table, je me suis empressé de les vider. Quelques gorgées plus tard, la brûlure à l'estomac avait disparu. "

"Je me suis retrouvé bien saoul. Je sors pour aller rejoindre les copains. En route vers le centre-ville, le mal de cœur me prend, la tête me tourne. Trop étourdi pour retourner à la maison, je me couche sur une boîte à poubelle dans une ruelle. Une bonne dame est venue prendre soin de moi comme on le fait avec un oiseau blessé qu'on veut écarter du danger. J'avais froid, je tremblais. Elle m'a enveloppé d'une couverture et m'a laissé me reposer jusqu'à ce que je reprenne mes sens. Ça ne m'a pas dompté. Par contre, une chance qu'il y a encore du bon monde. "

"À l'approche de mes quinze ans, je me suis déjà fait une réputation de bagarreur. Alors, on veut m'essayer ! Mes larcins prennent de l'ampleur. Dans les magasins le vol à l'étalage devient routine. L'école, c'est terminé. C'est la salle de billard que je fréquente maintenant. Avec le gang, nous parlions de nos projets futurs et nous commencions à courtiser les filles. Un copain plus âgé m'enseignait l'art de faire des mauvais coups. Les policiers et les juges avaient souvent affaire à moi, ma binette leur était devenue familière. Le juge m'envoyait visiter les cellules pour quelques jours ou quelques semaines. Le temps y était long : seul, rien à faire que d'entendre le son de la ventilation. Les probations ont commencé mais je ne les respectais pas. L'exaspération et l'audace semblaient devenir ma devise. Pour me faire reconnaître, pour qu'on s'occupe de moi et qu'on m'aime, je devenais turbulent. Je me sentais tellement rejeté ! "

"La rue devenait mon foyer, la boisson mon carburant. Un jour, à la salle de billard, mon père entre et vient me parler. Je lui demande, surpris : "Que viens-tu faire ici ?" Ce qu'il venait faire ici ? Il venait voir mon monde et à quoi ressemblait cet endroit, car on ne me voyait plus à la maison. Il m'avait donné l'impression d'accepter mes amis et mon mode de vie. Papa me proposa de revenir à la maison, de bien me comporter et d'accepter de retourner à l'école. Il est reparti en me laissant réfléchir à ses propositions. "

"J'étais fier qu'il soit venu dans mon monde, fier qu'il n'ait pas jugé mes amis. Je disais aux copains : "C'est mon père, c'est mon père !" J'étais heureux qu'il se donne la peine de venir me partager son inquiétude. Comme il devait souffrir de mon indifférence ! "

"Alors, j'ai passé la nuit à réfléchir. J'ai pris la résolution de revenir à la maison et de reprendre mes études. Ma vie, désormais, s'orienterait de façon concrète et honnête. À l'ouverture de la salle de billard, histoire de me reposer, je m'allonge sur un banc quelques heures. Mes adieux sont faits et je suis bien décidé de rentrer à la maison. "

"À ma grande surprise, mon oncle Léon était devant la salle de billard. Il me demande gentiment : "Gaby, veux-tu rentrer chez toi ?" J'accepte. Il me dit de l'attendre, le temps de se faire couper les cheveux. C'était un peu curieux qu'il me propose de me ramener. La maison n'était pas très loin et ce n'était surtout pas son habitude de me raccompagner. Mais je lui ai fait confiance : la malice m'était inconnue. "

"Je l'attendais, accoudé à un parcomètre. Il tardait à revenir. Un policier, ami d'un des frères de ma mère, arrive accompagné d'un autre policier dans une voiture de patrouille et freine sans raison près de moi : il m'arrête pour vagabondage. Les explications sont inutiles, oncle Léon ne viendra pas à mon secours. Il n'y avait rien à faire. Les agents me passent les menottes et me conduisent au poste. Quand nous arrivons, papa et maman y sont déjà. Tout était arrangé d'avance pour m'envoyer dans une école de réforme. J'ai eu beau essayer de m'expliquer, de leur demander de ne pas faire ça, ils ne voulaient rien entendre. Leur décision était prise. Sur les conseils du gendarme, une institution pour apprendre un métier était la seule solution. "

"Mes parents, ne sachant plus quoi penser, ne voyaient pas d'alternative. Ils ont signé les papiers malgré mes protestations. Et je me retrouve en taule, avec le sentiment d'avoir été trahi. J'attends en prison mon transfert pour la grande ville de Montréal, là où se trouvaient les écoles de réforme. J'avais seize ans. Le transfert se fait district par district. À chaque endroit on me fait coucher dans des cachots insalubres : une cage en fer qui fait frémir seulement à la regarder. Comme celle qui se trouvait à Labelle au sous-sol du poste de police : mes escortes s'y étaient arrêtés pour dîner avant de reprendre la route. Le curé Labelle a dû se retourner dans sa tombe, choqué, quand il m'a vu là ; un jeune homme imberbe, mineur et pesant cent trente livres tout mouillé. "

"Nous finissons par arriver à Montréal où les policiers me placent dans une prison pour jeunes en attendant mon transfert pour l'école de réforme. Ce sont des genres de salles avec douches et dortoir où tous vivent ensemble. Dans un coin des gars essayaient de couper la grille pour s'enfuir, d'autres marchaient de long en large, d'autres encore jouaient aux cartes. Et l'inévitable, le clan qui jouait aux "durs" : ils tiraient leur pouvoir de leur prestige criminel. Ils s'octroyaient ainsi tous les privilèges. Je m'assois à un bout de table. Mon air chétif est des plus trompeurs, car j'ai l'habitude des chicanes ! Le chef commence à me narguer pour m'intimider : il voulait me soumettre à son autorité. Je lui ai sauté à la figure comme un fauve qui bondit pour sauver sa vie. Le gars a perdu son titre de caïd de la salle à l'instant même et je me suis retrouvé au trou pendant cinq jours. Puis les gardiens m'ont transféré à l'école de réforme. "

"Ce placement me révoltait. Je me suis alors sauvé pour retourner dans ma ville natale. Les copains et ma vie désinvolte m'y attendaient. Les policiers m'ont repris et m'ont renvoyé à l'école de réforme. Encore une fois je me suis enfui. J'ai volé l'auto d'un gars pendant qu'il discutait avec un autre dans une station d'essence : il avait laissé son moteur en marche. Je m'arrêtais en chemin pour faire le plein, et quand le pompiste replaçait le boyau sur son support, je m'enfuyais sans payer. Je commençais à être pas mal "sauté" et je me moquais de toutes les règles sociales. Cette auto m'a servi de gîte jusqu'au jour où les policiers, encore une fois, m'ont remis la main au collet. Les autorités ont ordonné illico mon retour à l'école de réforme, puis les éducateurs ont resserré la surveillance. Les cours ont débuté. Peu à peu, je me suis habitué à ce milieu. L'hiver est arrivé. Mon activité préférée était le hockey. J'étais doué mais un peu trop fou. Initier des bagarres et chercher le trouble étaient devenus ma devise. "

"Mon équipe était en première place. Les gardes qui géraient les autres équipes ne m'aimaient pas beaucoup. Un beau jour, je me suis cassé une jambe durant la partie. Le garde gérant de l'équipe adverse était content et riait de moi. Il ne réalisait sans doute pas la gravité de ma blessure. Un éducateur a fini par me conduire à l'hôpital pour qu'on me soigne, mais on m'a oublié sur un banc. Une infirmière m'y a enfin remarqué vingt-quatre heures plus tard. Elle s'est occupée de moi. Elle était jolie : il n'en fallut pas plus pour que j'en oublie la douleur quand elle me lava la jambe. Constatant la gravité de ma blessure, un médecin m'a opéré. Fini pour moi, le hockey. J'ai même profité de l'occasion pour demander un congé de cours. Comme j'étais manipulateur ! Je laissais croire que je n'étais plus capable d'aller en classe, car le chemin pour s'y rendre était trop glissant. Je m'étendais sur un banc de neige et attendais que des instructeurs me remarquent avec mon plâtre et mes béquilles. Mon congé du centre m'a été concédé. En arrivant dans mon patelin, mon copain m'y attendait et nous nous sommes saoulés. Le soir dans une toilette de restaurant, sous l'effet de la boisson, jouant au docteur avec un couteau de boucherie, nous avons enlevé mon plâtre. J'ai ensuite marché sur ma jambe estropiée, ce qui l'a abîmée sérieusement pour plus longtemps. "

Que serait-il devenu si ses parents l'avaient soutenu au lieu d'accepter ce placement ? Est-ce que ça aurait été la bouée qu'il lui fallait, celle qui lui aurait apporté l'amour qu'il recherchait ? Celle qui lui aurait permis de trouver sa place dans la vie ? Rejeté par la société, rejeté par ses parents qui avaient cru le faire pour son bien, c'est par des jeunes quelque part sur la route de la délinquance qu'il a été accepté. Quand ça n'a pas été par quelqu'un qui cherchait à profiter de la faiblesse des autres. Vers où croyez-vous que cela l'a entraîné ? Puis, peut-être que l'endroit où l'on envoie les jeunes en difficulté n'est pas aussi efficace qu'on veut bien le croire. Il en résulte une situation remplie de danger et qui conduit souvent sinon le plus souvent à l'échec.

Nous les prenons pour des mauvais garçons, des rebelles sans foi ni loi parce qu'ils commettent des crimes, dérogent à la loi ou sont parfois seulement exaspérants, malappris. Ils font peur. Ils blessent. Et nous nous sentons impuissants devant eux. Ils se perdent. Comment les comprendre, les ramener ? Alors on les tasse, on les condamne, sans plus. On craint leur malfaisance, on appréhende leur récidive. On les rejette comme s'ils étaient possédés du diable, des possédés de l'enfer. Ce ne sont pourtant que des enfants désespérés qui ont peur de prendre place à la table de la vie. On les proscrit alors qu'ils auraient seulement besoin que nous leur portions secours : un peu d'aide, un peu d'amour, un peu de réconfort et de compréhension. Comment se fait-il que nous, les adultes, soyons si démunis devant leurs maladresses ?

*

- Savons-nous vraiment aimer ? Et eux, ont-ils appris à se faire aimer ?

*

"L'hôtel devenait mon chez-moi. Plus question de retourner à l'école. J'habitais ici et là. Après avoir fait quelques coups, me voilà avec une réputation de voleur. "

"C'est en hiver. Un gars, à la salle de billard, me propose un de ces soi-disant coups sans risque, moyennant une commission. Nous partons un copain et moi pour commettre le délit. Nous voulions seulement un peu d'argent pour acheter de la bière et aller à la danse. Quand nous sommes sortis de l'endroit de la casse, nous courions sur le trottoir avec le magot. Le propriétaire est apparu par une porte de côté et nous a poivrés avec son arme. Mon copain courant devant moi, me dit : "J'ai senti une brûlure." Il se touche la cuisse, sa main est pleine de sang. La balle lui a traversé une jambe, mais nous nous sommes sauvés quand même. Puis, les policiers entrent en scène et ouvrent le feu sur les deux moineaux qui se sauvaient à pied par un sentier battu dans un champ. Une vraie pétarade. Instinctivement, mon regard s'est dirigé vers les vibrations des balles qui sifflaient au-dessus de nos têtes. C'est là que j'ai réalisé le danger et le sérieux des événements ; nous pouvions y laisser notre peau. Courir, courir, ils nous fallait atteindre la montagne pour être à l'abri. "

"Nous sommes arrivés au sommet. Un chemin menait à un chalet. Une auto patrouille est apparue devant mon copain. Ti-Jean avait perdu beaucoup de sang, les policiers n'ont eu qu'à le cueillir. Durant ce temps, j'ai fourché vers l'unique chalet qui se trouvait là et me suis caché sous la galerie avec le magot. Les sirènes de police emplissaient le silence et je voyais plein de pattes qui couraient partout. J'entendais crier : "Par où a–t-il passé, par où a-t-il passé ?" Le froid était intense et les dents me claquaient. Il y avait un policier planté debout à quelques pieds de ma cache. Soudain, il se penche et me capture. Les policiers m'ont conduit au poste et en ont profité pour me questionner au sujet de d'autres présumés complices; je n'ai pas voulu collaborer avec eux. J'ai eu droit à deux semaines d'interrogatoire avec les techniques policières connues : bousculade, réveil au milieu de la nuit, lampe forte au visage, coups de pied au derrière, etc. On m'a trimballé devant les trois corps policiers de la ville dont les chefs s'étaient donné le défi de me faire parler après que le premier n'eut pas réussi. "

"Quand ils ont vu qu'il n'y avait rien à tirer de moi, ils ont convaincu mes parents de signer l'autorisation de me référer à la cour des adultes : j'étais encore mineur. Les policiers leur ont promis que je n'en prendrais que pour deux ans, que l'on me traiterait bien et que l'on me ferait apprendre un métier. Mes parents ont insisté pour que je plaide coupable. Mon copain, remis de ses blessures, avait déjà été condamné à deux ans de réclusion. J'ai pris la chance de leur faire confiance. La sentence a été de cinq ans, plus un an de prison commune, ce qui me faisait six ans à purger. On m'attache comme un saucisson et c'est dans une "camionnette" de tôle que j'arrive au pénitencier : je n'avais que dix-sept ans. Chaînes aux pieds, menottes aux poignets, nous entrons dans une forteresse aux murs imposants. Juchés sur les remparts, des gardes armés font les cent pas. Un bruit infernal me fait sursauter, la grosse porte de fer s'est refermée sur nous, sur la vie : inexplicable sensation d'une autre dimension, d'un autre monde, d'une autre planète, d'une jungle, si près et si loin en même temps. Me voilà à l'endroit où je suis condamné à passer mon adolescence. Après une douche, c'est l'inspection médicale où le respect humain n'est pas de mise ; suit la fouille anale. On me désinfecte avec une poudre blanche au cas où j'aurais des "bibittes". Nu comme un ver, debout sur une ligne qu'il ne faut pas dépasser pour recevoir la consigne, on m'ordonne de lire ce qu'il y a sur le mur. C'est écrit : "Ici, on plie le fer. "

"Intérieurement, je me dis : "ils peuvent peut-être plier le fer, mais ils ne le casseront jamais." Après m'avoir donné mes nouveaux vêtements de "tôlard", des couvertures et un sac destiné à l'hygiène élémentaire, un gardien m'escorte vers ma cellule. Au cœur du pénitencier, il y a un grand espace qui fait communiquer toutes les ailes. On l'appelle "le dôme", un lieu on ne peut plus lugubre. Quand j'ai vu les rangées de cellules, j'ai eu l'impression qu'elles s'enfonçaient dans les abîmes de la Terre. Plusieurs années après, alors que j'étais en visite dans cette prison devenue musée, je me suis demandé comment j'avais fait pour ne pas devenir fou de panique après avoir séjourné dans un tel gouffre de malheur. "

*

Pour garder quelqu'un dans "ça", il faut adopter une philosophie de protection sociale où le criminel est réduit à l'acte qu'il a commis et dépouillé de son humanité. Il n'est plus qu'un numéro sans visage. Et il est méprisé dans une attitude imprégnée de vengeance : il faut qu'il soit puni et qu'il paye ! Telle est la mentalité.

Son sentiment d'infériorité et celui de ne pas se sentir aimé à la maison durant son enfance n'étaient que poussière comparé à cette méprisante agression.

Était-ce des larmes que je percevais aux coins de ses yeux quand, après un long silence, il reprit ?

*

"Lorsque j'ai vu les cellules à barreaux avec une barre à l'extrémité de la rangée qui permet d'ouvrir les portes, à la façon d'un gouvernail de navire, je me suis senti perdu aux confins du monde, tout petit. "

"Il y avait plusieurs catégories de rangées : des rangées de grandes cellules, des rangées de petites et des spéciales comme la psychiatrie, l'isolement ou l'hôpital. La mienne était dans une rangée de petites cellules : environ trois pieds et six pouces de largeur par neuf pieds de longueur. Ceux qui y résident sont pour la plupart des jeunes. Pour toilette, une chaudière nommée "bucket". M'attendait aussi un pot à eau. Les semaines qui suivront m'apprendront qu'il fallait le ménager pour se rendre au lendemain. Un détenu était chargé de vider les "buckets" et remplir les pots d'eau. "

*

A-t-on choisi d'être pauvre ? C'était à le faire rêver du confort de la ruelle, là au moins sa richesse, c'était la liberté !

*

"Les cellules étaient adossées les unes aux autres sur trois étages. Il y avait cent quatre-vingts détenus par rangée. Comme tout le monde parlait ou criait en même temps, ça faisait un bruit d'enfer : de grosses voix qui essaient de contacter d'autres détenus à l'autre bout de la rangée pour jaser. Ces voix qui se croisent, c'est la symphonie des criards qu'on doit écouter à la journée longue. Une heure de silence par jour et une heure de marche dans la cour avec la moitié de la population en même temps. Tout ce que nous pouvions voir au-delà de ces murs de trente-cinq pieds de hauteur, c'était un carré de ciel bleu et parfois un rare avion à réaction qui le traversait en laissant une trace blanche derrière lui. Ça me faisait penser au monde impossible de la liberté. Chaque fois, je me voyais pris dans un trou profond sans issue. Et je me mettais à rêver, me ramenant aux nuits passées à la belle étoile aux côtés de papa. "

101

"Durant la semaine, le travail nous permettait de quitter la cellule pendant cinq heures pour aller dans un atelier, lequel est surveillé par des gardes armés qui se promènent sur une passerelle entourée de grillage. Lors d'une bagarre, nous avions droit au son de la carabine : le gardien tirait un coup de sommation au plafond pour que les bagarreurs se calment, sinon... "

"Les jeunes étaient affectés à l'atelier de menuiserie. C'est là où nous allions sabler du mobilier de toutes sortes. Je ne savais pas que ça prenait autant de temps pour apprendre à se servir d'un papier d'émeri : six ans dans mon cas. Même devenu spécialiste du papier à sabler, je n'ai jamais pu me trouver un emploi avec ce beau diplôme ! "

"La plupart du temps, il n'y avait rien à faire. On s'assoyait alors dans un coin pour parler du malheur d'être prisonnier. Les plus vieux disaient souvent que la société était corrompue et pourrie. La preuve, c'est qu'elle est capable de faire subir un tel sort à des êtres humains ! À nourrir de telles pensées, mon âme glissait irrémédiablement jusqu'aux tréfonds de la marginalité. Ma philosophie devenait celle des bagnards. "

"La fin de semaine s'avérait longue, interminable. Il nous fallait entrer en cellule à quinze heures le vendredi pour n'en ressortir que le lundi matin à neuf heures trente pour le retour au travail. La seule sortie était d'une heure par jour pour aller dans le carré de sable qui servait de cour. La nourriture laissait à désirer. Le pain de viande revenait souvent : il ressemblait à une mince galette entourée de vert-de-gris et le reste ne valait guère mieux. Après avoir fait la fine bouche pendant quelques jours, la faim a été la plus forte et j'ai décidé de manger, advienne que pourra... "

"Je reçois donc le cabaret et le dépose sur la petite table de bois suspendue au mur. Pour m'éprouver encore plus, le ciel s'en est mêlé en faisant tomber une coquerelle dans ma pitance. Je l'ai simplement enlevée et j'ai mangé quand même. Je pensais, avec regret, à la propreté immaculée de maman à la maison, malgré tout ce que je lui reprochais."

*

Gaby plongea dans son passé.

*

"Je suis assis sur le bord de mon lit. Des bruits métalliques, c'est la ronde du gardien. Soudain, je le revois passer à la course. Que se passe-t-il ? D'autres bruits fracassants me parviennent. Arrivent d'autres gardiens. Ils parlent fort. Suit une civière trimballée par des hommes en chemisier blanc. Ils repassent avec un cadavre recouvert d'un drap blanc. Puis une autre civière et un autre cadavre. Puis encore un autre. J'étais découragé. Je venais de voir trois hommes qui n'avaient pas survécu et il y avait à peine une semaine que j'étais au pénitencier. Ils s'étaient suicidés de façon on ne peut plus lugubre. Un, entre autres, s'est couché sur le dos dans son lit, puis il s'est bourré le nez et la bouche d'un produit qui l'empêcherait de respirer et il s'est de lui-même étouffé avec le câble électrique de la radio. Ces suicides faisaient suite à un pacte de mort s'il advenait qu'une évasion préparée par huit ou neuf détenus échouait. Elle avait échoué. "

"Je me suis dit : "Comment vais-je faire pour passer à travers, comment vais-je passer six ans dans ce lieu morbide et survivre ?" Les minutes semblaient si longues. L'écho des voix rebondissait dans les couloirs de la prison annonçant le décompte des autres cadavres. De ce pacte, deux détenus seulement ont survécu, mais ils avaient perdu leur réputation. Ils ont dû fuir, demander protection, car la loi du milieu ne pardonne pas à ceux qui manquent à la parole donnée. Leurs jours étaient donc comptés s'ils restaient parmi les autres détenus de la population régulière. Justice de pen ! Justice expéditive et sans pitié ! "

*

"Pour se familiariser avec la mentalité carcérale, voici quelques mots au sujet de la "loi du milieu", comme on l'appelle. Tout commence par la loi du silence. Quand un comparse se fait arrêter, il ne faut pas qu'il collabore avec la police sous peine de représailles très sérieuses : combien d'assassinats sont commis par des complices qui avaient peur d'être dénoncés par leurs associés et de finir en prison ? Le principe de base qui régit ce code est que la société, qui les met en prison et les prive de liberté, est cruelle et corrompue. Les autorités sont insensibles, car elles sont capables de commettre un acte aussi atroce que celui de priver un homme de sa liberté. Il faut donc être contre ce système et faire ses propres lois. "

"La peur des représailles ou du rejet par ses pairs délinquants tient lieu de balise pour la bonne marche de cette loi informelle. Parler à un gardien est mal vu, car c'est comme collaborer avec la société et ses principes ; leur ennemie, la société, les détient prisonniers et s'approprie leur vie. Si vous êtes en contact avec les gardes, c'est que vous avez la possibilité de donner des informations sur le monde interlope ; vous devenez donc suspect ou bien vous êtes perçu comme un "téteux". Celui qui a dénoncé son associé ou qui est pris à donner à l'adversaire (le système) des informations se retrouve en "protection", c'est-à-dire soustrait à la population régulière et à ses privilèges. La philosophie prônée par certains détenus est telle qu'elle fait d'eux des persécutés. Les dirigeants sociaux, selon eux, abusent et profitent de leur situation privilégiée. La loi du silence règne et c'est la qualité du crime commis qui donne de l'importance. Plusieurs critiquent le système et la qualité des services dispensés en prison. Les blasphèmes et le langage vulgaire ne sont pas rares. Les mots favoris des prisonniers sont : "La prison est une place sale, la société n'est qu'injustice et pourriture". Oeil pour œil, dent pour dent, voilà la devise ! "

"Si vous ne payez pas vos dettes, vous avez droit à une raclée. Si vous êtes un informateur ou si vous manquez de respect envers un codétenu, vous pouvez vous faire poignarder. La violence y est omniprésente. C'est la loi de la jungle, c'est la loi du plus fort, la loi des gros bras. Le masque ou l'image du détenu cache souvent sa peur, car il ne peut pas se laisser écraser. Si on vous insulte, il vous faut défendre votre honneur. Sinon, ce qui est véhiculé à votre égard est considéré comme vrai et vous vous faites rejeter ; vous vous retrouvez seul et vous risquez de vous faire molester plus d'une fois. Vous pouvez même y laisser la vie ou être mutilé à jamais. Si vous n'êtes pas connu, on vous soupçonne et on se méfie de vous. Ceux qui s'arrangent bien passent pour des grands. Les valeurs matérielles prennent une importance démesurée dans ce milieu fermé, contrôlé et rationné. Je me demande si ce n'est pas à cause de cette mentalité que j'ai cru longtemps qu'il fallait acheter l'amour. J'étais orgueilleux à l'extrême !"

"La pensée de groupe peut mener loin : le moindre faux pas et voilà vos amis d'hier qui en ont après vous. "

"La protection est un endroit isolé où seuls ont accès les cas spéciaux. C'est une rangée à part sans aucun contact avec la population régulière. Souvent, avant de se ramasser là, le protégé a eu à subir des sévices de la part des autres détenus, qui lui ont fait visiter les tunnels menant aux portes de la mort. Dans certaines prisons à sécurité moyenne, il ne se passe pas une journée sans qu'il n'y ait un type qui se fasse tabasser de façon très violente. Pas moyen d'aller dîner et de regarder dans un coin parce qu'on est sûr d'être témoin de ce que l'on ne veut pas voir. Du sang répandu près des portes d'entrée, une silhouette de cadavre dessinée à la craie sur l'asphalte : il y en a un qui n'a pas survécu. Des flaques de sang sur notre chemin, c'est chose courante. À certains moments, il faut même faire attention pour ne pas recevoir un coup destiné à un autre. "

"Les autorités carcérales semblent fermer les yeux. Cette violence servirait-elle à justifier la demande de nouveaux avantages marginaux pour les gardiens ? C'est à se le demander ! "

"Certains crimes y sont très mal vus, comme ceux à connotation sexuelle, surtout quand des enfants sont impliqués. De nos jours, il y a des prisons spécialisées pour accueillir ce genre de détenus : prison de protection ou de délateurs, prison pour crimes sexuels. Une mesure pour contrer la violence qui tend à monter en flèche dans certaines prisons. Il y a aussi les bandes rivales qui doivent être séparées dans des pénitenciers différents. "

"Pour résumer la loi du milieu : on garde le silence, la société est l'ennemie. Ils se doivent respect mutuel et sont solidaires entre eux."

"Les lois, de dire plusieurs délinquants, nous empêchent de survivre, elles ne protègent que les riches exploiteurs : c'est le principe d'injustice qui justifie les actions illégales du délinquant. Il n'y a pas de place pour eux parmi le monde ordinaire qu'ils appellent, les citoyens. "

"L'école de réforme pour délinquant mineur, baptisée aujourd'hui "centre d'accueil", semble vouloir se donner une mission plus humanitaire. Et pourtant, certains centres gardent encore leurs cellules d'isolement, "le trou", pour y acheminer les plus récalcitrants et ceux qui dérangent. Les plus durs ne seraient-ils pas aussi des êtres humains ? Même si ces cachots peuvent avoir un certain confort, ils peuvent aussi être utilisés pour y garder un être humain nu et attaché. C'est la voie du crime. Un chemin qui mène à la révolte. "

"Il n'y a pas meilleur endroit que la prison pour se faire des relations avec le monde interlope. Les crimes commis servent à démontrer sa bravoure. Le procès et les possibilités de libération future n'ont qu'une saveur d'injustice. Combien se sentent persécutés à cause des traitements réservés aux détenus ! Ils n'ont pas tous compris qu'en prison, vous n'êtes pas une personne avec des droits civils, mais un numéro qui paye une dette à la société. "

"Plusieurs disent : "C'est fini, je ne commettrai plus de crimes." Pour un très grand nombre, c'est vrai, ils ne récidiveront plus. Mais combien d'autres oublient leur désespoir et leurs bonnes résolutions devant la réalité sociale qui s'offre à eux à la sortie de prison : rejet, solitude, pauvreté, chômage, etc. C'est plus fort que tout, comme une impulsion qui a pour cause profonde le manque d'amour. Et il y a les vrais, ceux qui optent pour la carrière de criminel. Point à la ligne ! "

"L'éthique des droits de la personne n'est pas toujours respectée par les membres du personnel. Pour plusieurs, un prisonnier n'est qu'un être méprisable et mauvais que l'on doit opprimer. Il y a des gardes qui sont blasés, tannés, fatigués et leur humeur paraît dans leur travail, sans oublier ceux qui ont mauvais caractère. Et il ne faut pas mettre tout le monde dans le même panier, car il y a aussi ceux qui veulent aider. Toutefois, ils ne sont pas là pour aimer les délinquants mais pour protéger la société avant tout. "

"Au fil des conversations, le détenu apprendra des trucs sur tous les genres de crimes à commettre lors de sa libération future. Il veut se faire reconnaître, car il se sent rejeté par ses parents, par ses éducateurs, par la société. Le monde interlope l'accueille en l'intégrant au marché noir, au vol et à la délinquance. Pour se faire aimer, il fera sienne cette pensée que préconise le crime. "

*

"J'ai passé quatre mois dans le régime des petites cellules, enfermé dans ma cage, subissant l'enfer des gueulards. Je pensais à mon passé ou je rêvais d'amours inaccessibles. "

"Enfin, les autorités m'ont transféré dans un pénitencier spécialisé pour les jeunes. Le but : apprendre ce fameux métier que la cour avait promis à mes parents. En arrivant, je suis confronté au "trip du caïd" qui veut me soumettre à sa dictature. Je lui saute au visage, la bataille prend et me voilà au trou encore une fois. "

"Dans cette prison, les gardes n'entendaient pas à rire. Le système de correction est de type militaire. Après huit jours, je finis par sortir de la détention et on me met dans une rangée. Six détenus par chambre : durant l'inspection le matin, il fallait être à l'ordre, c'était du sérieux. "

"Pour aller aux cours ou pour aller dîner, c'était le rassemblement et la parade militaire, gauche, droite, gauche, droite. Pour aller à la messe, qui était obligatoire, il fallait marcher en rangs et suivre le groupe. Mais je disais : "S'il faut aller à la messe, je suis capable de m'y rendre sans faire le pantin imitant les soldats de l'armée. Je suis capable de fonctionner sans être obligé de faire toutes ces singeries". Je n'ai pas accepté ce manque de confiance et qu'on veuille me redresser coûte que coûte. Puis, en plus, les messes ce n'était pas ce qui me tentait le plus. Ca remontait bien avant le pénitencier. Durant mon enfance, j'avais peut-être douze ans, le curé de la paroisse m'avait banni de l'église devant tout le monde, me faisant honte, car j'avais dérangé durant le rituel. La messe, pour moi, n'avait plus son charme. "

"À la cafétéria, le silence absolu était obligatoire. Cette discipline me semblait exagérée. Je demandais alors à haute voix qu'on me passe du pain, du sel ou du beurre. Juste pour contester. Quand il fallait marcher au pas, je m'avançais derrière les autres en me dandinant tranquillement. Ces comportements me conduisaient immanquablement en isolement. Après plusieurs mois de ce régime, j'ai commencé à en être affecté. Je n'étais pas capable de rester plus de cinq minutes hors du trou sans envoyer promener un garde avec ses règlements dépassés. Et je me retrouvais encore à la case départ ! "

"Durant ces périodes de séquestration, un sentiment de solitude s'imprégnait en moi et il me pesait de plus en plus : seul dans une cage. J'ai bien essayé de parler à d'autres détenus qui se retrouvaient au même endroit que moi, mais immédiatement nous avions droit aux représailles. Nous héritions de trois ou quatre jours de trou de plus pour avoir enfreint le règlement. Pour tout confort, nous avions droit à une couverture la nuit. Nous couchions par terre sur une feuille de contre-plaqué. Il n'y avait pas de lit. Comme nourriture, c'était du pain et de l'eau, matin et soir ; le midi, un repas diète nous permettait de survivre. "

"Rendu à Noël, dix mois après ma condamnation, j'étais encore au trou. Planté debout dans cet espace de solitude, je regardais vers la fenêtre qui n'était qu'une grille de fer. Je me questionnais en pensant : "Comment se fait-il que ma famille ne vient pas m'encourager ?" Je fixais cette grille avec l'espoir d'une visite. Cet espoir qu'un grand jour on me porterait juste une brindille d'amour. Rien, la solitude du silence, ce fut tout ! Où était ce père qui me prenait pour un roi ? Personne ne venait jamais me voir. Papa m'avait renié à cause de mon casier judiciaire. Je l'avais déshonoré face au pays qui l'avait accueilli."

"La souffrance de mon père était trop grande, sa peine l'étouffait. Il était incapable de réagir. Incapable de comprendre que son fils n'était pas un monstre. Incapable de comprendre mes erreurs."

"Son rêve d'avoir un fils à son image s'était écroulé, sa famille déshonorée, sa fierté détruite. Puis, pouvons-nous imaginer la douleur d'une mère sachant son fils aux prises à de pareilles souffrances ? Son impuissance résonnait sans aucun doute dans ses entrailles, comme les douleurs de l'enfantement ! "

"Cette solitude me faisait souffrir. L'intention des gardiens prenait forme. L'instrument social faisait son ravage. J'avais de plus en plus mal : mon cœur en était infecté, une sorte de parasite qui coulait dans mes veines. Ça me prenait par en dedans, dans mes tripes, dans mon estomac, dans mon cœur, jusqu'à la panique, jusqu'au désespoir. La présence d'un être humain me manquait terriblement, j'aurais voulu, j'avais besoin de parler à quelqu'un, juste pour me sentir un peu moins seul. Cette souffrance s'agrandissait de plus en plus jusqu'à ce que mon âme en fut remplie. Je ressentais le feu de l'enfer. Le silence avait fait son ravage. "

"Le ciel voulait-il me mettre en garde ? Le ciel voulait-il me toucher ? L'épreuve devait-elle être si lourde ? "

"Comment demander de l'aide ? Les autres détenus m'auraient jugé, condamné, rejeté. J'étais aux prises avec les préjugés et mon orgueil. Un homme, ça ne pleure pas ! Le rejet, j'en avais mon voyage. L'éducation à caractère répressif, j'en avais assez. Alors, je me fermais de plus en plus en espérant un moyen pour sortir de cet enfer. Comment aurais-je pu imaginer que cette blessure allait s'ancrer si profondément en moi ? J'étais un adolescent seul, laissé à lui-même, abandonné, enfermé, plein de rage et d'amertume. Une blessure qui pénètre dans les gènes, un virus. Au plus profond de mon être, la souffrance issue de la solitude remplissait tout l'espace et elle a été, tout au long de ma vie, ma fidèle compagne. Ceci a été le prix de ma révolte et de mon entêtement. "

*

Il ne restait plus que de rares étincelles qui s'échappaient du feu de braise en s'élançant vers le ciel. Je me suis levé, les membres engourdis. Gaby s'était tu. Les étoiles commençaient à s'effacer dans l'aube incertaine. Nous nous sommes quittés. L'aurore annonçait déjà son spectacle de couleurs.

DEUXIÈME PARTIE...

"La magie du ciel est présente
dans la plus grande des obscurités:
il suffit de lever les yeux. "

Pourquoi ne pas leur donner un peu d'amour comme on donne un verre d'eau à celui qui a soif ? On est là à s'offusquer des tyrannies chez les autres peuples, mais on reste inconscient de ce qui se passe dans notre propre maison.

*

"Lors de mon séjour au pénitencier, j'ai été témoin dans le donjon de ce que les "bons" sont capables de faire. Un jeune détenu donnait du fil à retordre et dérangeait énormément. Durant la nuit, il est acheminé au trou sans ménagement. Il n'y avait que moi comme témoin auditif. Allait-on se gêner ? Des gardiens l'ont battu à un point tel qu'ils ont "cassé" ce garçon pour la vie. Il ne sera plus jamais le même homme. J'ai eu ouï dire qu'il est viré fou tellement il a eu peur et mal. Le problème, avec la rumeur qui veut qu'on soit bien en prison, c'est qu'on ferme les yeux sur ce genre de situation. On sait que ces abus se font, que ça existe, mais impuissant, sans preuve, on passe l'éponge. On se dit peut-être: "Au fond ils le méritent ! "

*

"Il y avait dans ce pénitencier un remède-type pour les plus récalcitrants : ils étaient acheminés aux travaux forcés. Là ils devaient déplacer des tas de sable. Ce jeu stérile avait pour but de reformer leur caractère. Celui qui arrivait à suivre ce régime pendant quelques mois pouvait espérer un jour retourner à la population régulière de la prison."

"Un bon matin, au trou, je suis accroupi sur ma planche de bois. Le temps me semble interminable. Je m'ennuie à mourir ! Soudain, bruits de pas et bruits de clefs... Je me précipite vers la porte pour essayer de voir par la minuscule fente laissée par le judas. Des gardes avançaient dans le couloir. Ils s'arrêtent soudainement devant ma porte. Ils sont trois et n'ont pas l'air rassurant dans leurs grands habits kaki. Que va-t-il m'arriver encore ? Tout mon être est en alerte, une bête en cage, prête à bondir. La clef pénètre dans la serrure de ma porte. Cette clef de fer, qu'une main recouvre à peine tellement elle est grosse, résonne avec fracas quand le gardien l'enfonce dans la serrure. Quand la porte s'ouvre, rien ne paraît de l'état de stress dans lequel je me trouve."

"Matricule 013601Y, on vous transfère ce matin au B.T.5. Veuillez nous suivre."

"Les travaux forcés me semblaient beaucoup mieux que l'insoutenable solitude du trou. Ça faisait au moins un peu d'action dans ma vie."

"C'est mon copain, celui qui avait été condamné pour le même délit que moi, qui m'accueille dans le groupe de cinq ou six détenus. Comme c'était bon de le revoir, d'avoir dans ce groupe un ami proche qui venait du même patelin. Avec son petit sourire en coin, si typique de sa personnalité, il m'explique le travail : casser de la pierre avec une masse dans un couloir souterrain. "J'aime mieux travailler, me dit-il, les journées me semblent moins longues." Donc le gardien en charge me donne un ordre et, comme de raison, je ne l'exécute pas. Il m'a été impossible de passer l'épreuve. Par contre, les autorités m'ont assigné une rangée spéciale, moins étanche que le trou. Je crois que les gardes en étaient rendus à ne plus savoir quoi faire avec moi. Je prenais de l'expérience. Sans être devenu le détenu modèle, j'avais au moins compris qu'en leur faisant croire que je pliais, ils en oublieraient d'essayer de me casser. C'est ainsi que j'ai rangé le signe du "finger". Ça ne me permettait pas de sortir de la cellule mais je pouvais au moins converser par une ouverture pratiquée dans la porte avec les détenus des cellules voisines qui subissaient le même sort que moi. "

"La colère faisait rage. Certains détenus se révoltaient contre la conversion des cellules à six détenus en cellules simples. Les autorités en avaient décidé ainsi. Et comme dans toutes les sociétés, il y eut résistance au changement. Une petite émeute a éclaté qui donna lieu à des représailles. Le présumé responsable fut conduit au trou. Mon voisin de cellule propose de faire la grève de la faim pour faire sortir le gars du trou, lequel, selon la rumeur, ne méritait pas d'être là. Pour donc suivre la consigne, comme tout le reste de la population, je refuse mon repas. Et il n'y avait rien de caché sous mon lit pour grignoter en cachette ! On referme le guichet qui me permettait d'avoir un peu de liberté. Et me voilà revenu à la case départ : même situation, enfermé, seul, sans contact. "

"Ça fait cinq jours que je ne mange pas. Les premiers jours ont été les plus pénibles ; les crampes d'estomac sont insupportables. Mais au troisième jour, je ne souffre plus de ne pas manger. Au cinquième jour, des bruits connus viennent rompre le silence. Je suspecte un mouvement. Je peux me jucher et voir par le châssis de ma cage en me collant la face contre la grille. "

"Les parades ont repris, les gars marchent par groupes de trente, gauche, droite, gauche, droite, en direction du mess, là où les repas sont servis. Ils avaient négligé de m'informer que la grève de la faim avait pris fin. Les gars avaient recommencé à manger depuis quelques jours. Les détenus avaient oublié, pour la plupart, la solidarité. Ils avaient plié sous la pression des gardes. "

"Arrive soudain devant ma cellule le directeur de la prison avec quelques gardes. Ils ouvrent ma porte et me lancent un sandwich par terre en m'accusant d'être l'instigateur de cette révolte. La preuve, j'étais le seul à ne pas manger. "À genoux", me dit le directeur, "demande-nous pardon. Mets-toi les mains dans le dos et mange sur le plancher comme un chien." J'ai alors essayé de foncer sur lui. Pour rien au monde je n'aurais plié devant une telle ignominie. Il en allait de ma dignité et elle était l'espoir de ma survie, je le savais instinctivement. C'est elle qui permet aux hommes de se tenir debout. Elle donne aux peuples leur fierté ! Tous les biens de la Terre ne peuvent la remplacer. La dignité appartient à l'essence de l'être humain. Et elle était tout ce qu'il me restait. "

"Je n'ai pas fait long feu. Les gardes m'ont maîtrisé. Ils m'ont conduit sous le gymnase dans un endroit encore plus infect que le trou. Je me rends compte qu'il y avait là une vingtaine de gars. Ils filaient doux dans des conditions insoutenables. La consigne était : une heure couché sur le dos, droit comme une barre, une heure debout, le nez collé au mur et une heure assis sur le matelas, jambes allongées et le dos droit ; pas le droit de tourner la tête, pas le droit de parler ; et cela, vingt-quatre heures sur vingt-quatre. "

"Comme pour faire honneur à ma tête de mule et pour le défi de pousser les limites, j'ai brisé la consigne en parlant à ma guise, en me couchant quand ce n'était pas permis. Ce que j'ignorais, c'était qu'il y avait un endroit encore pire que celui-là, tout à côté. "

"Dans une des salles sous le gymnase on avait construit une cage de broche et à l'intérieur de cette cage, il y avait un garde armé d'une carabine à l'épaule, ce qui montre bien le sérieux de la sécurité. Deux autres gardes tout près étaient attablés dans un coin de la petite salle: ils jouaient aux cartes. Les gardiens qui m'escortaient et ceux assis à la table m'ont saisi et m'ont attaché à la cage. J'étais suspendu les mains par-dessus la tête avec des menottes aux poignets et une chaîne aux pieds, un pied dans les airs, l'autre qui touchait le sol du bout des orteils. "

"Après quelques temps les épaules me brûlaient tellement que la douleur devenait insupportable. Un des gardiens du quart de nuit a eu la décence de me donner un peu d'eau, tout en prenant soin de m'insulter pour ne pas perdre la face devant ses compagnons de travail. Me donnait-on un sandwich à l'occasion? Je ne m'en rappelle pas. Pour dormir, je me laissais pendre et je m'assoupissais quelques instants comme pris entre deux mondes. Mais vite, il fallait que j'utilise mes orteils pour m'aider à me soutenir : je ne sentais plus mes mains. Je ressemblais à quelqu'un qui se fait écarteler. "

"Un gardien plus haut gradé et qui m'avait vu attaché là avant de partir pour un long congé, cinq jours auparavant, a été surpris de me voir encore pendu là à son retour. Il s'est emporté contre les deux geôliers qui s'amusaient à me lancer leurs restants de poulet tout en riant. Il leur a ordonné de me détacher de là. Indigné, il leur lança : "J'ai des enfants de cet âge à la maison !" Les poignets en sang, je me suis effondré par terre comme une poche quand les gardes m'ont détaché. J'étais incapable de me tenir debout. On m'a ramené au trou "ordinaire". Les gardiens m'ont fait passer devant le comité de discipline qui a ordonné mon transfert au pénitencier à sécurité maximale. Au "max", comme on dit, les autorités m'ont gardé quelques semaines en détention pour enfin me remettre dans la rangée des jeunes. "

"J'aurais bien aimé faire autre chose que de perdre ma vie dans un cachot. Même si je n'avais pas l'âme d'un apôtre, j'aurais préféré être envoyé servir Dieu en aidant les missionnaires dans les pays sous-développés que de subir un tel sort totalement dépourvu de sens. "

"Tant de résistance au détriment de ma vie ! Ces tortures pourront-elles aujourd'hui être de quelque utilité ? Mon vœu, c'est qu'elles puissent améliorer le sort des détenus, questionner les autorités, éclairer les parents, aider les jeunes. "

*

"Le pénitencier Saint-Vincent-de-Paul est aujourd'hui désaffecté. Selon les critiques des droits de l'homme, il a été déclaré insalubre. On en a fait un musée ouvert au public durant deux étés. Maintenant, il est habité par les pigeons, livré à lui-même, sale, laissant suinter de ses entrailles une énergie lugubre. On s'est donné la peine de détruire les petites cellules pour que les gens ne voient pas jusqu'à quelles aberrations peut aller l'application de la justice. Pourtant, ce n'est pas l'austérité de la vie carcérale ou le manque de confort qui brime le plus, détrompez-vous. **C'est simplement la perte de la liberté qui fait de la prison une punition sévère."**

"Notre société devenue tellement matérialiste veut faire croire que les chaînes dorées sont moins pénibles à porter. Alors, aussitôt qu'on se rend compte que les détenus héritent d'un peu de confort, on s'offusque, incapable de comprendre que la punition se trouve ailleurs ; elle est dans l'incapacité de franchir les barbelés ou le cadre imposé. Les cachots d'isolement, les prisons à sécurité super maximum et les prisons désuètes ne sont pas exclus pour les plus rébarbatifs. Dans ces endroits, les conditions de vie sont insoutenables, sans dignité humaine. L'oppression et l'abjection de ces endroits sont tout au plus cachés derrière de beaux décors et il existe une équipe d'hommes entraînés pour faire le sale boulot. Mais ça, on aime mieux l'ignorer pour avoir la paix. "

"Jusqu'où sommes-nous prêts à aller pour nous assurer du châtiment ? Pense-t-on qu'on met une carabine sur l'épaule d'un homme seulement pour l'apparence, juste pour faire peur ? Détrompons-nous, ces armes sont faites pour servir. L'histoire a démontré depuis bien longtemps que ce sont les faibles qui héritent le plus souvent de la raclée pour des idéologies imposées par les forts. Les armes qui tiennent en joue sont utilisées pour protéger la société contre des méchants dangereux. Comme un animal sauvage qui se sauve, on va jusqu'à le tuer de peur qu'il ne revienne. "

*

"Un homme qui outrepasse les lois et commet des crimes est jugé et mis en prison : il est donc responsable de son sort, il mérite sa punition. Il est un danger dont la société doit se protéger, telle est l'opinion publique. Se protège-t-elle vraiment ?

"C'est donc dans cette rangée de petites cellules que mon adolescence égraine ses jours, privée de relations sociales et familiales, privée de présence féminine, privée d'une vie normale comme les jeunes de mon âge. Beaucoup de choses m'ont troublé dans la vie, mais je dois dire que ce bout de chemin-là m'a blessé profondément. Qu'on m'ait frappé, qu'on m'ait tourmenté, qu'on m'ait torturé, abusé psychologiquement ou sexuellement dans ces enfers, j'ai pu y faire face ; mais qu'on m'ait privé de ma jeunesse, de ma liberté, de mon avenir, je n'ai jamais réussi à le digérer, ça n'a pas passé. "

*

Les yeux en larmes, les lèvres tremblotantes, il plongea son regard vers l'horizon et pour un long moment, demeura silencieux. Il était ailleurs. Puis, se ressaisissant, il ajouta sur le ton de la confidence:

*

"Ça fait mal d'être privé de ce trésor précieux, celui de vivre libre parmi le monde, comme le monde, simplement pour vivre et s'émerveiller de l'existence. J'étais un enfant-roi déchu cherchant l'amour dans les moindres recoins. Quand je me suis réveillé dans ces petites cellules, la déchéance de ma vie était trop grande pour que je l'accepte. Premièrement, je ne comprenais rien à ce qui m'arrivait. Puis, j'étais fermé à toute prise de conscience émotive, pour ne pas ressentir cette blessure. L'habitude de me donner des moyens de défense psychologique pour étouffer et refouler mes sentiments devenait une force. Alors je me suis fermé de plus en plus devant cette machine sociale qui m'imposait une ligne de conduite injustifiée à mes yeux. Je m'enlisais, impuissant, dans un abîme absurde. Ces apprentissages s'inscrivaient dans mes gènes. De plus en plus jouait contre moi l'impuissance à mettre à profit mes expériences difficiles et à les utiliser comme "feed-back" pour améliorer mon sort. Les autorités en sont même venues à me promettre la "strap[2]" et le fouet pour me corriger. "

*

Les lois qui protègent notre société peuvent nous conduire en enfer si on n'entre pas dans son jeu et ne respecte pas ses règles. Il n'avait pas cette habileté qu'on appelle expérience et qui permet de ne pas retomber dans les mêmes problèmes. Personne n'a su le lui enseigner, lui qui déjà était renfermé. Et une révolte subtile, sournoise, semblait imprégner les tissus de sa peau, comme un tatouage.

*

"Un bon matin alors que le directeur de la prison visitait les ateliers, je lui demande de me transférer dans une grande cellule, là où il y avait un lavabo et une toilette. Il me connaissait pour m'avoir vu défiler régulièrement devant le comité de discipline qu'il présidait. Sa réponse avait été : "Quand tu auras l'âge de raison, tu pourras y aller."

"C'est là, dans ce pénitencier qu'a commencé mon éducation de bagnard : tous les enseignements, les plus beaux comme les plus vulgaires qui peuvent exister, mes pairs me l'inculquaient. Et ce que je recevais le plus

---

[2] Lanière épaisse et trouée qui, en la retirant, arrache la peau.

souvent, c'était un vomi de rancœur plus qu'une réflexion de sagesse. Mon langage se "bagnardisait", les mots grossiers sortant de ma bouche comme des ordures. Et j'étais fier de les crier fort pour démontrer mon indifférence à ce que j'étais devenu. Je m'accrochais naïvement après une bouée pour ne pas être seul, pour ne pas sentir ce vide en moi. L'éducation reçue en prison était de forme libertine et déviante, elle venait ainsi refouler mes premiers fondements, plutôt puritains. "

"Certains gars avaient envie de sexe : dans les pénitenciers, le plaisir de la chair n'est pas emprisonné ! Il y est bien présent, il ne faut pas se le cacher. Il se fait entre hommes, ça va de soi ! J'étais jeune et beau, ça en faisait rêver plus d'un. On m'offrait toutes sortes de propositions, on me promettait mille récompenses ou bien on essayait de me faire perdre mes facultés en me droguant avec des médicaments ; ceux-ci étaient prescrits à plusieurs détenus par le psychiatre qui faisait des recherches sur eux. Il y avait entre autres un produit qui faisait perdre conscience aux plus durs. Tous les moyens étaient bons pour avoir la chance de profiter de mon innocence ou celle des autres jeunes. La conversation valorisait l'homosexualité comme une forme sexuelle très agréable. Je commençais à me questionner, moi qui n'avais jamais connu un amour véritable. Un beau jour, une petite tapette me fait les beaux yeux à un point tel que je commençais à avoir le goût de me laisser aimer... Plusieurs jeunes se trouvaient dans la même situation. Combien ont été pris de force. Un de mes copains, du même âge que moi, s'est fait passer à tabac par deux gros gorilles qui se disaient des solides : ils impressionnaient tout le monde avec leur grosse voix. Plus tard, les journaux dévoilèrent que ces deux larrons étaient devenus délateurs. Quand j'ai revu mon ami, il était tout défiguré : ils n'en avaient pas eu assez de l'avoir abusé sexuellement. C'est ça aussi la vie de prison. Il y en a même qui se sont fait tuer, violer, mutiler, défoncer par un manche de balai, laissés morts dans un coin. C'est du déjà vu. Oui, elle est belle la vie du détenu, comme disent certains. "

"Tristesse. Je n'ai pas pu prendre part aux grands événements comme Terre des Hommes. Enfermé dans mon cachot, la période du "peace and love" m'a filé entre les doigts. Cette époque de grands changements m'est passée sous le nez tout comme mon adolescence qui s'essoufflait entre quatre murs. "

"Mon initiation se continue. Certains détenus étaient très bons pour moi. Ils défendaient les jeunes du mieux qu'ils pouvaient, alors que beaucoup d'autres se mêlaient de leurs affaires pour éviter les problèmes. Certains m'ont fait voir que la vie avait du sens, qu'elle valait la peine, malgré tout. "

"L'un d'eux m'a marqué plus que les autres. Il semblait capter l'insaisissable. Son poing levé vers le ciel semblait tenir ferme quelque chose d'abstrait et de beau et ses yeux donnaient l'impression de voir une rivière limpide couler devant lui. Dans un élan de passion, il m'a dit : "La vie est belle !" Il savait d'emblée que cette richesse sacrée était intouchable : une merveille que l'on espère plus que tout et qui s'abreuve à la source de *la liberté* ! Cette soif insondable de ce nectar divin permet de survivre dans un pareil endroit. *Quel homme !* Il éveillait en moi une partie de mon être qui a pris naissance un jour là-bas au berceau de mon enfance, qui m'habitait toujours et qui m'a redonné espoir. À croire que c'est dans les situations les plus précaires qu'on arrive à percevoir ce qu'il y a de plus beau, de plus grand, de plus magnifique et de plus essentiel de la vie. Comme si l'espérance du bonheur et de l'amour refusait de mourir au-dedans de moi. "

"D'autres me parlaient de sexualité sans aucun romantisme. Ils voulaient m'initier à une philosophie de l'amour, libre et sans jalousie, mais aussi sans saveur, toute repliée sur soi, stérile: une vie sexuelle immorale. Souvent, les propos sur les femmes n'avaient rien d'honorable. Certains même haïssaient la gent féminine au plus profond d'eux-mêmes et lui manquaient totalement de respect. "

*

Je me dois de censurer ce langage, ça va de soi.

En étaient-ils venus à cette manière de voir les femmes à cause d'un amour déçu ou inaccessible, à cause d'une mère qui n'avait pas su les aimer ?

*

"En ce temps-là, je ne pouvais pas me faire une appréciation juste et équilibrée des informations reçues de mes pairs. "

"J'apprenais la vie à une drôle d'école ! "

"Malgré tout, le mince avantage de mon incarcération était de ne pas avoir les préoccupations du monde libre, celles de gagner sa vie. Je disposais de tout mon temps pour réfléchir à ce qui était devenu pour moi une passion : le sens de l'existence. J'espérais me rendre utile en cherchant comme les philosophes, à comprendre le but de l'existence. Le mystère de la vie m'apparaissait tellement grand. Il m'a fallu bien des années avant de m'imaginer l'immensité de l'univers et ses possibilités dimensionnelles infinies. Je me suis

132

mis aux études. Il m'a fallu beaucoup de réflexion, d'expériences et d'épreuves avant que ne m'apparaisse une réponse satisfaisante ; une voie ouverte à l'espoir, une vision du parcours humain qui ne s'achève pas sur la mort, mais qui s'ouvre sur un après, sur un ciel indéfinissable mais sur lequel je pouvais miser. "

"L'au-delà possible ! Un esprit qui survit au corps, ou un corps astral qui survit quand le corps physique meurt. Peu importe comment l'exprimer, mais j'en suis arrivé à cette ferme conviction qu'il y a quelque chose dans l'homme qui ne se termine pas avec la mort, quelque chose d'éternel."

"Ma lecture préférée a longtemps été le roman d'amour ; bien sûr, l'histoire se terminait toujours de la même façon, mais j'en raffolais et les lisais quand même. Mon rêve était qu'un jour je puisse rencontrer l'âme sœur pour vivre avec elle le plus grand des amours. Tous les jours, tous les soirs, je ne faisais plus que ça, rêver, vivre dans ma tête une autre vie, vivre en rêve. Mon espace vital mesurait vingt-sept pieds carrés: ça correspond à une petite chambre de bain mais sans les accessoires ! Alors, pour passer le temps et pour sentir que j'étais toujours vivant, je n'avais plus que le rêve. Un scénario forgé dans ma tête avec mes illusions qui me permettait d'être ailleurs. En cage, mon plus grand, mon unique passe-temps était de vivre dans ma mémoire. Au trou, couché sur la planche de bois, je me perdais dans mes pensées, sans bouger, trois jours durant. À peine si je me levais quelques minutes pour le repas. "

"Le film imaginé était romantique et devenait ma propre histoire. Je recréais en pensée tous les endroits où j'avais goûté au bonheur. Je me retrouvais le plus souvent à la plage avec mes amis, à tenter de séduire la fleur de ma vie et à lui faire l'amour. C'est comme ça que j'ai survécu. Il y avait bien ce continuel vacarme d'enfer du matin au soir dans la rangée, mais rien ne pouvait déranger mon état mental. Les journées semblaient durer des mois et quand j'allais dans la grande cour, je recevais mon éducation. Puis il y avait la possibilité de faire des sports. Ce qui m'intéressait le plus, c'était de jouer au tennis l'été et au ballon-balai l'hiver. "

"J'avais déjà dix-neuf ans quand le directeur a ordonné mon transfert dans les grandes cellules. Un lavabo, une toilette, moins de cris et une heure le soir pour regarder la télé: ça m'apparaissait un grand luxe dans ma vie de prisonnier. De plus, la fin de semaine, il y avait un film au gymnase. Avec ces nouvelles distractions, j'avais l'impression d'être moins étouffé. "

"J'étais au troisième étage de la "wing[3]". Des quatre murs de ma cellule, il y en avait trois en ciment et le quatrième était formé de barreaux. Ils sont barbouillés d'innombrables couches de peinture que l'humidité et la chaleur fendillent pour laisser suinter par leurs blessures des générations de souffrance. "

"Ah ! Si ces parois pouvaient raconter leurs histoires ! "

"Au-delà de la passerelle le mur était percé de grandes fenêtres. Le soir, quand il faisait noir dehors, elles faisaient office de miroir et je pouvais ainsi reluquer dans les cellules voisines quand la lumière de celles-ci était ouverte. "

"C'est ainsi que je fus le témoin impuissant d'un drame horrible. Un de mes amis qui devait avoir mon âge en était rendu à ne plus pouvoir faire du temps. Sa cellule était située au deuxième étage. Quand venait le soir et qu'il se retrouvait isolé, il paniquait, il ne savait plus comment endurer sa souffrance, embarré dans sa cage. Il a commencé à crier : "Sortez-moi d'ici !" Soudain, il a mis le feu dans sa cellule pour qu'on le sorte de sa souricière. Les épaisses couches de peinture qui recouvraient les murs ont eu l'effet d'un accélérant et comme dans une

---

[3] Rangée de cellules

explosion le feu s'est propagé. Je le voyais, de ma cellule, par le jeu des fenêtres miroirs. Mon ami, au centre de son cachot, était devenu torche humaine. Je l'apercevais couvert de flammes, debout, les bras vers le ciel. Il courrait ici et là dans sa cellule, il hurlait de douleur. J'ai vu un homme au centre de l'enfer. Puis il s'est éteint. Il avait retrouvé la liberté ! Avec le feu qui prenait de l'ampleur, une fumée épaisse et suffocante envahissait la rangée. Parmi ceux qui jouaient aux durs, plusieurs ont commencé à paniquer et à crier au secours. "

"La fumée est arrivée jusqu'à ma cellule et commençait à m'incommoder. Je me suis empressé de mouiller mes couvertures et mon matelas pour me glisser par terre, en dessous. Il a fallu ce qui m'a semblé une éternité avant que les gardes ne puissent maîtriser le brasier. J'étais triste pour mon ami. Triste aussi d'avoir entendu ces durs de pacotille crier pour qu'on les sorte de leur cellule, oubliant celui qui avait le plus besoin d'aide, cette torche humaine que je pouvais revoir sur commande simplement en baissant les paupières. J'apprenais à me méfier de ceux qui prêchaient tant la solidarité. Pouvais-je me fier à eux vraiment ? "

"L'insalubrité, l'augmentation de la population carcérale et la pression sociale imposèrent la construction d'un nouveau pénitencier à sécurité maximale. Quand il fut terminé, j'étais de ceux, dont certains célèbres, qui furent appelés à inaugurer le nouveau palace. Ce ne fut qu'une quinzaine d'années plus tard que le vieux pénitencier de St-Vincent-de-Paul ferma ses portes définitivement. "

"Adieu mon petit carré de sable, souvenir de mon adolescence, adieu l'école de ma jeunesse. Me voilà dans une prison beaucoup plus confortable en apparence. Une cellule propre avec une fenêtre qui donne accès à de l'air pur. Bien sûr les barreaux étaient toujours là, mais camouflés à l'intérieur d'un volet de ciment. Le plus magnifique pour moi, c'était de pouvoir regarder le ciel jusqu'à l'horizon. Il n'y avait pas de mur d'enceinte, ils étaient remplacés par des clôtures de broche couronnées de barbelés. Au loin, nous pouvions voir des arbres, de vrais arbres et tout autour de la prison, des champs de cultivateurs. Ça aérait, ça donnait une impression de grandeur. De plus, nous avions le droit d'aller dans la grande cour tous les jours. "

"La semaine, après le déjeuner, il y avait le travail. Les détenus sortaient alors de leurs cellules vers neuf heures trente pour se rendre aux ateliers. Ils réintégraient leur cage pour le repas du midi. Après le repas, retour aux ateliers et vers quinze heures trente on sonnait la fin des travaux. Chacun regagnait sa "wing" pour le décompte et le repas du soir. Vers dix-huit heures, la cour extérieure était ouverte jusqu'à vingt heures et la salle de jeu jusqu'à vingt-deux heures. La fin de semaine, la grande cour remplaçait le temps passé au travail. Il y avait beaucoup plus d'activités sportives. Je m'en donnais donc à cœur joie : tennis, marche, balle molle, tout était bon pour me donner l'impression de me sentir vivre. Le soir, il y avait le bridge ou la télé. Quand les portes de ma cellule se refermaient, je marchais de long en large jusqu'à l'épuisement parfois. J'ai bien dû y faire quelques tours de la Terre. Finalement, étendu sur mon lit à rêvasser j'attendais l'ouverture des portes pour le début des activités et le jour de ma libération. Un monde d'adultes m'entourait mais dans mon cœur vivait un sentiment, celui d'être un tout-petit. Je refusais de grandir, de vieillir. Mon seul intérêt n'était autre que le principe du plaisir. "

"Quelques petites anecdotes me viennent à l'esprit. Un beau soir dans la salle de télévision, un gars me dit : "Veux-tu t'évader ?" Ma réponse fut négative. Il me suggère alors de retourner en cellule, ce que je fais illico. Des détenus avaient réussi à défaire les conduits d'aération au plafond de la salle de télé. Soudain, se font entendre des coups de feu de toutes parts : les détenus qui avaient réussi à sortir sur le toit se faisaient canarder par les gardes armés qui patrouillaient ou étaient dans les tours. Sur une dizaine de candidats, un seul a réussi à traverser les clôtures mais il était blessé et a été retrouvé trois jours plus tard dans les bois, au bout de son sang. D'autres se sont fait fusiller au beau milieu de la clôture ou en courant. "

"La rumeur la plus cynique qu'on m'ait racontée fut celle-ci : un garde sur le toit tenait en joue avec sa carabine un détenu couché face contre terre. Le directeur est arrivé sur les lieux. Il s'était juré que jamais personne ne s'évaderait de son pénitencier. Il enlève la carabine des mains du gardien et tire le détenu que l'on tenait en joue. Le détenu n'est pas mort mais il a perdu l'usage de sa sexualité. Un de ceux qui avaient réussi à se rendre jusqu'à la clôture fut atteint d'une balle dans les reins alors qu'il avait décidé de se rendre. Toute la nuit, de nos cellules, on pouvait entendre des coups de feu : on tirait dans tous les buissons pour essayer de retrouver celui qui manquait à l'appel. Mort ou vif, peu importe ! "

"Je ne puis oublier un autre événement, un bruit qui hante mes souvenirs. Il s'agit du compagnon occupant la cellule en face de la mienne. "

"C'était un gars fier qui marchait avec une allure prétentieuse. Il tranchait sur les autres. On le harcelait à cause de cela. Il était critiqué et rejeté par plusieurs détenus ; plusieurs en effet ont le jugement facile et agissent comme on a fait avec eux, c'est-à-dire juger, condamner et rejeter celui qui n'entre pas dans leurs normes de conduite. Ce gars était pourtant très gentil malgré son arrogance. Il en était venu à ne plus pouvoir tolérer de se faire traiter de la sorte par ses pairs. Un soir, avant la rentrée pour la nuit, il vient me voir. "

"Gaby, me dit-il, donne ces affaires à mon ami Ti-Bob, car demain je ne serai plus ici, je m'en vais. "

"J'ai trouvé ça bizarre. Ce qu'il possédait se résumait à peu de chose : une brosse à cheveux, un tube de pâte à dents, quelques objets sans valeur et une lettre. Je croyais à un transfert ! "

"J'étais naïf et habitué à ne pas poser de questions. En prison, il est souvent préférable de ne pas se mêler de ce qui ne nous regarde pas. Quelques instants après la rentrée, des bruits inhabituels éveillèrent ma curiosité : ça provenait de ses pieds qui frappaient le bureau de métal. Le gars s'était pendu. Un sentiment de vide infini s'empara de moi à le voir partir ainsi. "

"Beaucoup d'autres événements se sont produits et se produisent encore souvent dans les prisons. Impossible de vous raconter tout ce que j'ai vécu et ce dont j'ai été témoin. La prison, selon certains, est une société miniature, une maquette de notre grande société. Et il s'en passe des choses dans notre société : un bulletin quotidien de nouvelles n'en couvre qu'une partie."

"J'ai fais mon temps selon la routine du bagnard : boulot, dodo et loisirs, tout en tournant en rond. Les relations carcérales se ressemblent toutes d'une fois à l'autre. Il y a ceux qui ne parlent que de crimes en les valorisant, d'autres qui vocifèrent contre la société et ceux qui essaient de me séduire en me promettant mer et monde. "

"Il m'arrivait encore de me retrouver au trou, mais plus rarement. Dans les prisons à sécurité maximale, les contacts avec les gardes sont très restreints : les narguer devenait donc moins tentant. Il y a aussi le fait qu'à force de me brûler les doigts et de me retrouver en isolement, j'en étais venu à jouer mon jeu de façon plus raffinée. Ceci me rendait la vie plus facile. Était-ce les premiers pas vers la réhabilitation ? Je n'en demeurais pas moins rebelle dans l'âme. "

"Bien sûr, il y avait un système de libération prématurée, mais quand je passais devant la Commission des Libérations Conditionnelles, on me rappelait sans cesse les déboires de ma première année au pénitencier.

En étant renfermé comme je l'étais, incapable de m'exprimer, il va de soi que les commissaires refusaient de me libérer. Je ne comprenais pas le rôle que je devais jouer dans ce jeu-spectacle ; ils prenaient sans doute ma timidité et mon mutisme pour de la révolte. "

"Voici comment les commissaires m'ont tendu un piège… J'attendais sur un banc que mon tour vienne. La nuit a été longue, je suis nerveux, stressé ! Le comité a étudié mon cas, pris connaissance de mon dossier. Le gestionnaire des sentences vient me chercher. J'entre dans une salle où sont assis trois personnages derrière une grande table. Ils ont l'air sérieux avec leur regard froid. Ils n'entendent pas à rire. Suivent les formalités habituelles et la période de questions. Tout va bien. Je réponds avec le plus de sincérité possible. Puis, voilà qu'un commissaire me coupe la parole pour m'accuser d'être un vaurien. Il me traite de tous les noms. Les émotions me serrent la gorge et je bafouille. Conclusion logique de l'entrevue : on ne m'accorde pas la libération sous condition. La sentence : vous êtes un danger pour la société." Comment leur faire comprendre qu'ils se trompaient ? J'étais humain, sensible et bon, mais incapable de l'exprimer. "

"Quelques temps avant la fin de mon terme, un transfert dans un pénitencier à sécurité moyenne m'a été proposé : ça voulait dire plus de privilèges. En fait, ça se ressemblait beaucoup mais les prisonniers passaient moins de temps embarrés dans leurs cellules. Plus la sécurité diminue, plus grande est l'espérance d'obtenir un élargissement des privilèges sociaux. C'est là que j'ai commencé à fumer du "haschich", ce qui me fit partir dans un rire sans fin."

"Je m'étais fait un copain. Nous étions toujours ensemble, attendant qu'on nous délivre de nos chaînes ; il est sorti un peu avant moi. C'est comme ça en prison : vous vous faites un ami, puis d'un coup, il disparaît du paysage en vous laissant un sentiment de solitude. "

"Quand est venu le temps de ma libération, des policiers m'attendaient devant la porte pour me remettre les menottes et me conduire dans une prison insalubre, semblable au vieux pénitencier mais en plus moche : en plus de mon terme fédéral, j'avais hérité d'un an de prison commune. Aujourd'hui, une telle sentence aurait été incluse dans le terme fédéral, mais ce n'était pas le cas alors. "

"Cet espoir de liberté aurait pu se concrétiser. C'est dire jusqu'à quel point j'étais influençable : j'avais entendu les gars raconter que lorsqu'ils se faisaient offrir une libération conditionnelle, ils la refusaient. Alors, quand les autorités ont cru bon de me libérer, ils m'ont offert une libération sous condition. C'était au début de ma sentence à la prison commune et ça coïncidait avec la fin de ma sentence fédérale. J'ai refusé l'élargissement, solidarité oblige. Le monde des bagnards n'était-il pas devenu "mon" monde ? Alors, j'ai fini ma sentence dans la prison commune de la grande ville. Dans cet endroit que plusieurs qualifiaient d'enfer, il s'en passe de toutes sortes et de toutes les couleurs. Le passage à tabac était chose courante : sept ou huit détenus se regroupaient pour piéger leur victime ; ils lui lançaient une couverte sur la tête pour ne pas qu'elle puisse identifier ses agresseurs et ils la rouaient de coups. De nos jours, même tactique sauf que ce sont les justiciers qui se couvrent la tête d'une cagoule artisanale. Il semblerait bien que la solidarité perd de ses plumes en tôle. "

"Des jeunes abusés sexuellement, ne serait-ce que par leur candeur, était chose courante. Dans mon cas, on aurait bien voulu me compter parmi leurs victimes : à vingt-et-un ans, je paraissais encore très jeune. Ils se sont donc présentés dans ma cellule, mais après quatre ans d'entraînement et l'instinct de survie en alerte, ils ont eu peur de moi ! Il y a aussi le fait qu'ils ont appris à ce moment que j'arrivais du pénitencier, ce qui les a sûrement effrayés : là-bas, quand un gars reçoit un affront, la loi du milieu exige réparation. Je n'avais pas de penchant sanguinaire et vengeur, mais eux l'ignoraient. Je n'avais qu'à serrer un couteau dans ma main pour qu'on me fiche la paix, à moi et à mes amis. "

"Qui sait, équipé psychologiquement comme je l'étais, si on m'avait acculé au mur, jusqu'où je serais allé ? "

"Je n'étais pas du genre tueur. Ma philosophie me le défendait. Quelque part dans mon esprit, mon amour pour la vie ne me permettait pas de l'enlever à un autre. Je trouvais la vie si précieuse, comme quelque chose de sacré, d'absolu, d'intouchable. Une personne en état de bonheur, ça se remarque : elle resplendit. On ne veut pas voir s'éteindre la lumière de ses yeux. C'est la même chose pour la vie : une beauté inestimable que je ne veux pas détruire. J'avais perdu ma liberté, je ne voulais pas en rajouter et perdre mon âme en plus."

"La peur aurait par contre pu me mener Dieu sait où. La peur de me retrouver seul et que je ne pouvais avouer à personne. Par orgueil ! Je ne voulais, je ne pouvais plus quitter ce monde asocial de la criminalité. Du fond de mon âme, je ne pouvais vivre sans lui. Pourtant, il me conduisait sur le chemin du malheur, mais vers où me tourner, qui d'autre m'aurait accueilli ? "

"Le jour de ma libération approchait. Ma personnalité en avait pris un coup. Ce n'est que beaucoup plus tard que j'ai compris à quel point mon séjour en prison avait faussé ma vision de la vie, de la société, de la femme, des hommes. Mes fondements étaient totalement détruits, et ma vie et mon âme. Incapable de penser, mort en dedans. Les gens qui affirmaient leurs opinions m'impressionnaient tellement ! Je me demandais où ils puisaient leurs idées. Comment réussissaient-ils à communiquer, à s'exprimer, car en moi, il n'y avait qu'un vaste océan de couleur noir ? J'avais beau chercher dans mon esprit, pas une parole, pas une idée ne me venait. J'avais beau regarder à l'intérieur de moi, je n'arrivais pas à comprendre que j'avais perdu mon cœur. Comment aurais-je pu parler de moi qui n'avais plus d'identité ? Alors, les expressions des autres devenaient miennes, mais ça ne collait pas, ça ne cadrait pas avec mes émotions. J'étais devenu superficiel, tout imprégné de cette mentalité de bagnard apprise au fil des ans, une personnalité qui n'avait aucun rapport avec mon être profond. Un Gaby perdu, façonné par des éléments extérieurs inadéquats. Mon vrai moi étouffé, repoussé dans l'inconscient profond ! "

"Il y avait plus encore : imaginer qu'on puisse manquer de loyauté dépassait mon entendement. J'étais donc le sujet idéal pour qu'on abuse de moi et profite de mon innocence. On pouvait tout me faire, sauf toucher à mon image ou m'agresser physiquement. Sans réagir, étouffé en moi-même, je pardonnais pour une chanson, après avoir bu un peu de ressentiment. Que voulez-vous ? Mon besoin d'amour ouvrait ma porte à tous les inconnus. Mes repères émotifs semblaient inexistants parce que ma vraie personnalité avait été étouffée par les aberrations de mon éducation. "

"Vérifier à travers le brouillard de ma peur me paraissait impossible. Je redoutais tellement qu'on pense du mal de moi ! Quant à parler de moi, il ne fallait même pas y songer. En fait, un mutisme absolu me serrait les lèvres, les paroles s'étouffaient dans ma gorge, la pression montait, pareille à une chaudière à pression. Mes sentiments étaient refoulés de l'autre côté du mur de l'insensibilité. Et je jouais bien mon jeu. Rien ne paraissait de mon état, pas même une rougeur."

"Au fil des années passées en prison, la mentalité carcérale avec ses lois informelles et ses préjugés avait déteint sur moi jusqu'à m'imprégner et me diriger. J'étais un masque ! Je semblais ne pas avoir froid aux yeux, car la peur de l'opinion des autres dépassait mes craintes. Dans le milieu, on a intérêt à savoir se défendre. Il y en a toujours un pour nous le rappeler. La bagarre et les jeux de pouvoir sont mes fidèles protecteurs et cela depuis ma tendre enfance. "

*

Les délinquants sont souvent acculés à faire ce qu'ils peuvent pour survivre : ils se donnent une image forte. Ils ne veulent pas qu'on découvre leur sensibilité. Très souvent, ce sont des personnes très correctes. On connaît l'être humain, comment il peut se perdre en lui-même et commettre inconsciemment des actes répréhensibles. En prison, on apprend que pour être apprécié, il faut être un dur.

Ne jamais gagner sa croûte honnêtement et ne jamais appartenir à la société, telle est la consigne du parfait bagnard avec comme rêve la réussite d'un gros coup. Gabriel est imbibé jusqu'à la moelle d'un tel apprentissage, complètement étranger à sa vraie nature. Il en était venu à vouloir le commettre, ce gros coup, pour que son milieu puisse le reconnaître et l'aimer. Il avait perdu tout espoir de prendre sa place à la table de la vie parmi le monde ordinaire. Son image démontrait bien qu'il appartenait désormais au monde des durs. Mais à l'intérieur, caché sous la peur, les échecs et les rejets, était enfoui un être bon qui attendait avec patience de pouvoir se manifester !

Le rôle du détenu dans notre société se doit-il de servir d'exemple ? "Sentence exemplaire", dit le juge. Ne pourrions-nous pas nous préoccuper aussi, en tant que société responsable, et au-delà de la légitime protection sociale qui justifie l'incarcération, des besoins réels de ces personnes délinquantes ? Non pas de les réhabiliter à coups de corrections et de programmes inquisitoires, mais de les accompagner dans la recherche du sens de leur existence, en leur fournissant les instruments nécessaires à ce cheminement intérieur. Nous serions alors à des années-lumière de l'exclusion carcérale qui est pour l'instant la seule solution proposée au problème de la délinquance.

Mais le pire est que si on demandait aux délinquants : "Aurait-il fallu vous laisser faire ?" Cette question n'aurait sans doute pas de réponse spécifique à cause de la vision déterministe : les actions sont liées à la totalité des événements antérieurs. Donc, ceci ramène la société à se questionner à propos de l'éducation. Comment a-t-il pu en arriver là ? Qu'aurait-on pu faire pour lui venir en aide avant qu'il ne se perde dans la criminalité ? Il n'y a pas d'alternative majeure à l'incarcération, cette méthode directive punitive. J'ai hâte qu'un génie trouve autre chose que l'enfer de la prison comme solution pour protéger la société.

Un aspect de la problématique de la délinquance est relié, selon moi, à l'éducation névrotique reçue durant l'enfance, tant à la maison qu'à l'école. Les relations avec les pairs jouent un rôle important dans l'évolution d'un être humain. La société, ses institutions et ses structures ont, elles aussi, un rôle déterminant en ce qui regarde la délinquance, surtout quand elles sont mal administrées. L'apprentissage de la délinquance s'inscrit dans les comportements, elle est aussi érigée selon les opinions sociales. Il y a crime contre l'humanité quand le groupe le décide selon ses valeurs morales ou sociales. Enfin, les façons souvent répressives de gérer la justice contiennent beaucoup de lacunes. Ne nous leurrons pas, les détenus ne sont pas plus méchants que les autres. Ils ont simplement parfois manqué d'opportunités ou de chance. Ils ont passé à travers les différentes instances de la société sans qu'aucune d'elles ne réussissent à cerner leur problématique et à poser un diagnostic adéquat. Ils se retrouvent en bout de piste avec un problème qu'ils sont eux-mêmes incapables de comprendre et de solutionner.

Ils ne veulent pas se soumettre à la règle, dira-t-on, qu'on les punisse. Comme si la punition était le remède infaillible. Bien sûr, ils contreviennent aux lois et leur violence fait peur. Plusieurs paieront le gros prix pour leur(s) délit(s) ou leurs erreurs. Des erreurs qui peuvent coûter *plusieurs années sans liberté. Certains juges donnent des sentences de cinq, dix, vingt ans, la vie en prison à un être humain avec une froideur déconcertante ; parfois même, la tête haute, assis sur leur trône de justicier qui se sent bien au-dessus du monde, sourds, insensibles devant le désespoir de l'être humain qui se retrouve devant eux.*

Beaucoup prétendent que les détenus sont bien en prison ! Pourtant, personne ne veut y aller. Si la prison était un tel lieu de délices, les citoyens ne seraient-ils pas les premiers à s'y réserver une place? Croyons-nous vraiment que la vengeance fait partie intégrante de la justice et qu'elle a un goût si délectable ? Que si on fait souffrir à n'en plus finir une personne délinquante, ça réparera le passé ? Se pose-t-on la question, à savoir : au bout de sa sentence, comment en sortira le condamné, qui deviendra un ex-détenu pour le reste de sa vie ?

De par son cheminement et son éducation, Gaby n'était pas en mesure de comprendre le bien-fondé des lois. On sait bien qu'elles ont été faites pour que les gens puissent cohabiter en paix. Leur but est de protéger et d'accommoder le plus grand nombre possible en leur offrant une vie sécurisante et stable dans un contexte favorable. Par ailleurs, il n'en demeure pas moins que cette justice pénale est administrée par des êtres humains, donc avec bien des limites et des lacunes. *Certains déviants ne comprennent pas les lois de la même manière que les comprend un citoyen normal, car leurs pensées se laissent embrouiller par un désarroi intérieur.*

L'adolescent qui aura servi une peine d'emprisonnement, quand il se retrouvera libre, comment se présentera-t-il dans la vie après avoir été oppressé par le système et endoctriné par les idées de bagnard ? Peut-on seulement imaginer l'immense, l'insurmontable difficulté que représente la réinsertion sociale, relationnelle, sexuelle et sentimentale de ces gens blessés ? Peut-être comprendra-t-on un jour pourquoi ils se sont égarés, pourquoi ils ont perdu leurs rêves romantiques ? Quand ils se retrouvent en difficulté d'adaptation, pourquoi leur lancer la pierre ? Ne pourrions-nous pas leur offrir notre soutien et les juger avec une touche d'humanité ?

Le crime ne s'excuse pas, bien sûr, et ce n'est pas mon propos. Mais ne pourrait-on pas changer le regard qu'on porte sur ceux qu'on emprisonne, qu'on exclut et qu'on ampute de leur liberté ? Pourquoi sont-ils les seuls à souhaiter leur bonheur ? N'y a-t-il pas place entre nos préjugés et nos peurs pour un peu de compassion ?

Certains détenus ne peuvent plus sortir de prison, tant ils sont allés loin dans la délinquance. Ce sont des hommes emmurés vivants dans ce qui deviendra leur sépulture ; des humains que souvent la misère a poussé au crime pour satisfaire à leurs besoins.

"L'homme a-t-il été créé pour être enfermé ou pour s'épanouir ? "

"La plupart des détenus, quand ils regardent au fond d'eux-mêmes, y trouvent un rêve de vie paisible entourée d'amour, à mille lieues de la réalité de leur vie criminelle. C'est ce que l'on voit dans le cœur délinquant quand on le scrute en profondeur. Mais le chemin de leur vie les a conduits à épouser le mal comme on se lie à un ami pour ne pas être seul et survivre. "

"Existe-t-il un antidote contre le virus de cette vie antisociale ? Les lois sont faites pour que l'humanité puisse vivre en harmonie. Si vous êtes du genre à manquer d'habileté sociale et à vous écarter de la ligne de conduite, vous serez rejeté. Vers où vous tournerez-vous alors pour vous sentir aimé, pour créer des liens ? C'est une pulsion fondamentale de l'être humain que de s'unir pour socialiser. "

"Ces personnes que l'on repousse, peut-on leur demander de mourir avec un sourire ? Car c'est bien à cela qu'équivaut le rejet social : à la mort des droits sociaux, de la liberté et du sentiment d'appartenance. Croit-on vraiment que le rêve que fait miroiter le Diable, celui d'une vie agréable et luxueuse par les fruits de la criminalité, soit vrai ? Que cette existence soit plus agréable que celle d'avoir une carrière, un bon salaire, une famille et tous les avantages modernes que l'on peut retrouver dans les foyers de classe moyenne ? Croit-on vraiment que le crime est plaisant ? C'est la misère noire, froide et sans amour, dégoulinant de violence, de stress et de souffrance. Condamné, jugé, rejeté, emprisonné, névrosé, drogué, seul, voilà les vrais fruits de la criminalité. Parfois un rare chanceux, quand il y survit, se voit en possession de beaux joujoux et croit pouvoir s'acheter l'amour dont il a besoin. Même là, quand tout a l'air bien dans sa cour, le cœur peut porter un fardeau amer et épuisant. Enfin... "

*

"Mes vingt-deux ans approchaient et ma libération était pour bientôt. Les autorités m'ont alors transféré dans une prison de ma région. Quelques jours après mon arrivée, j'étais au trou. La cellule d'isolement avait cette particularité qu'on y vivait dans la noirceur la plus totale. Une nette amélioration ! "

"Le grand jour arrive enfin ! Ma sentence est terminée et je me retrouve dans la rue. Quelle impression bizarre ! C'était comme si, après avoir eu froid toute la nuit, le soleil m'avait donné rendez-vous pour me réchauffer ! Je flottais... Il ne faut pas regarder en arrière, c'est signe d'un mauvais présage paraît-il, mais ça été plus fort que moi. En tournant la tête, j'ai contemplé cet endroit lugubre. Il me semblait recouvert d'un magnétisme puissant et glacial : un monde à part, le monde de la barrière défendue. Un monde qui engloutit des vies. J'ai pris une profonde respiration pour revenir au présent. Puis une douce sensation, une joie infinie s'est glissée à l'intérieur de mon être. Je me sentais joyeux, le cœur léger. Je souriais. Quelle traversée ! Cette porte de fer qui venait de se refermer, était-ce la porte des étoiles ? "

"Je n'avais pas un sou en poche. Heureusement que mes parents m'attendaient de l'autre côté de la rue. Près de cinq longues années s'étaient écoulées depuis la dernière fois que je les avais vus. Ils m'ont amené au chalet. J'ai été m'asseoir au bord de l'eau, un peu à l'écart, sur une roche qui, comme les hommes, résiste aux tempêtes. J'avais besoin d'être seul, de calmer mes émotions, de réfléchir... Tout me semblait terni, sale, comme si la nature avait été violée. La pollution avait fait beaucoup de

155

ravages durant mon absence. Je me disais que le monde n'était pas correct : il n'était même pas capable de respecter la nature et il se donnait le droit de venir me corriger. La décision prise durant ma jeunesse de ne pas entrer dans le monde des adultes se cristallisait en voyant tant de violence, de mensonges, d'abus moral et écologique tout autour de moi. Mon choix de ne pas entrer dans ce chaos social me semblait justifié. Je ne croyais pas que les lois fussent édictées pour le bien de la majorité : les avantages sociaux n'appartenaient qu'à un petit nombre et les riches, selon moi, laissaient le peuple dans la misère et ne respectaient pas notre patrimoine commun. "

"Nous habitions un pays minier. Sans aucun égard pour l'environnement, les mines déversaient leurs déchets acides et polluaient les lacs avec leurs résidus destructeurs. Jusqu'à l'air qui était vicié par la fumée de leurs cheminées. Toute cette pourriture se répandait dans la nature, comme une lèpre envahissante. Le soleil formait des nuages qui se déversaient en pluies acides. Un air âcre et suffocant imprégnait nos poumons et ceux de tout ce qui respire. Je pensais à ces mêmes bien nantis, insouciants et responsables de ce désastre : se promenant avec leurs grands bateaux, bien au chaud, là-bas, au soleil des mers du sud, et se foutant éperdument que les mineurs puissent mourir. Ils préféraient économiser pour augmenter leurs profits plutôt qu'investir pour améliorer les conditions de vie, la sécurité, l'aération dans les mines et les problèmes écologiques. "

"Je me sentais perdu sur la route de la vie, j'errais à la recherche d'une bouée, d'un sens. Une brindille d'amitié m'aurait suffi. J'étais devenu incapable de composer avec le monde, à force de solitude. Traumatisé, mentalement détruit, je me sentais si petit, dérouté et sans aucune estime de moi."

"Je traînais sur la rue principale attendant près des entrées de portes un bonjour, un ami, une présence, une présence féminine surtout qui me ferait goûter aux joies de l'amour. Je désespérais de pouvoir réaliser un jour le rêve d'amour romantique de mon adolescence. Par chance, quelques amis m'ont reconnu et ont essayé de me venir en aide. J'étais désemparé devant ma liberté. De me voir sans ressource me rendait impuissant, un végétal. Les légumes au moins ne semblent pas se rendre compte de leur condition ! J'étais comme sous l'emprise d'un virus envahissant qui m'aveuglait totalement. "

*

La prison est une punition qui avilit beaucoup plus que l'on croit ; elle a eu sur Gaby un effet dévastateur. L' "éducation" qu'il y a reçue en est arrivée à cristalliser son penchant vers une vie délinquante.

*

"Oui, j'étais égaré à ce point ! La lumière de la créativité ne brillait plus dans mon esprit. On aurait dit un zombie qui ne fait que souffrir, sans même trop le ressentir. Miné par l'incertitude, je ne comprenais plus rien à ce que je vivais. C'était comme si on me demandait d'aimer après avoir été moulé dans la haine. "

"Nous avons tous une mission.
Rien n'arrive pour rien.
C'est notre destin. "

*

Gaby, avec son caractère doux et généreux, aurait voulu aimer mais il était emporté de l'autre côté. Fatalité ? Se pourrait-il que Dieu envoie des personnes capables de générosité dans le monde du mal pour le comprendre et lui redonner un visage humain ? Peut-être que tout cela fait partie d'un plan qu'il a sur nous : pour que nous puissions nous retrouver, grandir et accomplir notre destinée. C'est ma conviction. Sinon à quoi tout cela servirait-il ?

On peut aussi comprendre les responsabilités qui lui reviennent car il a suivi le chemin de la délinquance. Mais pour cela il faut regarder à travers l'incompréhension de sa propre situation, les lacunes de son éducation, le manque d'habiletés et de volonté, la frustration, l'insouciance, l'entourage néfaste de ses pairs, l'écologie des lieux, tout concourait à influencer son choix de vie. Il y a un adage anglais qui dit : "If you can't do the time, don't do the crime." Ce serait si simple s'il n'en fallait pas plus pour choisir sa ligne de conduite. Gaby se laissait influencer par ses apprentissages de bagnard et par l'esprit sans pain dans lequel il se trouvait. Ces incidences l'ont conduit à des actes déplorables.

Sa responsabilité consistait à avoir agi négativement, pris au piège de son entêtement. Il avait été un enfant agité, turbulent et il en était venu à outrepasser les lois pour se faire aimer et remarquer. Il a commis des délits. Des victimes ont eu à en subir les conséquences. Mais tout compte fait, c'était lui, le responsable de son sort.

La société croyait lui faire payer la facture en mettant en gage sa jeunesse et beaucoup plus. Mais elle n'a pas réussi à le ramener au bercail. Elle avait fait de lui un révolté.

*

"J'ai fini par goûter aux plaisirs de la chair avec une fille plus sensuelle et plus aventureuse que moi. Je lui ai demandé si elle voulait coucher avec moi. Elle a dit : "Oui !" tout de suite. J'étais rouge comme une tomate, un petit coq en érection, qui marchait devant elle pour ne pas qu'elle s'en aperçoive. J'avais tellement peur qu'elle vire de bord ! Mais non, elle m'a suivi jusqu'à la chambre. Une chance, car elle m'aurait cru malade si elle avait pu me voir le visage. Enfin, ce rêve qui hantait mes nuits en prison se réalisait. "

"Avant mon incarcération, un copain m'avait présenté une fille, qui était devenue ma blonde. Elle était si belle ! Deux adolescents découvrant l'ivresse de l'amour. Assis au restaurant, sirotant une liqueur, on se bécotait en écoutant de belles chansons d'amour près du juke-box. Un simple baiser suffisait pour nourrir notre passion. Il y avait là une petite piste de danse et on en profitait pour se coller. "

"L'incarcération avait mis un terme à cette relation. Puis, toutes ces années sans visite, sans lettre. Déceptions... "

"Après ma sortie, nous avons fini par reprendre ensemble. Mais, peu à peu, la flamme qu'elle m'inspirait s'est éteinte. Je le lui ai dit. Elle en a éprouvé beaucoup de peine et elle est partie. Adieu l'amour ! "

"Attablés au restaurant avec des amis, nous ne parlions que de faire des mauvais coups. Quelques-uns allèrent même jusqu'à jouer à la roulette russe : le père de ma nièce y a laissé la vie. La drogue, cette nouvelle mode des années soixante-dix, faisait son apparition dans notre patelin. Et je l'ai expérimentée, bien sûr ! "

"En plus d'être un délinquant notoire, mon apparence jouait en ma faveur : la gent féminine s'intéressait à moi. "

*

Qui de vous, mesdames, n'aurait pas aimé le sauver ?

*

"C'est ce qui m'a permis de papillonner à ma guise. Malgré ma timidité excessive, les délices de "Sodome" étaient à ma portée. Pour moi, la vie n'était que liberté. Mon désir le plus vif était de reprendre le temps perdu. Le moule carcéral m'avait rendu irresponsable et incapable de me prendre en charge. L'habitude d'être nourri, logé et guetté me collait à la peau. "

"Mes parents m'hébergeaient volontiers quand je n'étais pas à traîner en ville, mais je passais le plus clair de mon temps à vagabonder. J'ai fini par délaisser le seuil des portes et les parcomètres qui me servaient d'accotoir pour aller m'installer dans les bars. On n'y conversait que de crimes et d'argent. "

"D'autre part, la déesse de l'amour m'accordait de belles idylles avec des filles qui m'ont fait chavirer le cœur. Je passais beaucoup de temps dans la nature. J'y ai vécu des aventures qui feraient rêver les grands explorateurs et qui m'ont conduit de la forêt boréale aux bords de la mer, avec en prime la chance de connaître des gens extraordinaires. Il m'en reste des souvenirs merveilleux. Je ressemblais à un oiseau migrateur, à la recherche de son itinéraire perdu et de son lieu d'appartenance, qui fuyait jusqu'au souvenir de la cage qui l'avait retenu prisonnier. "

"En réalité, je cherchais l'amour... l'amour impossible des romans que j'avais lus en prison ! Quelle rêverie... Ça m'amenait à agir bizarrement : quand une fille me plaisait, je pensais à mon roman d'amour sans jamais oser l'exprimer ou m'y risquer. Il y eut de très belles filles dont j'ai refusé les avances, de peur qu'elles ne découvrent mes faiblesses et qu'elles ne se moquent de moi. La perfection devenait pour moi une fixation. Je ne voulais pas qu'elles connaissent mes défauts ; la honte de mon corps et la honte de ce que j'étais devenu contrôlaient ma vie. C'était moins compliqué de dire "non" que d'entreprendre une liaison où je devrais me dévoiler. Malgré cela, j'ai eu droit à de beaux moments et aux délices de l'amour. "

"Puis un jour, je l'ai rencontrée. Elle venait doucement vers moi, étincelante comme la rosée du matin qu'illuminent les premiers rayons du soleil. En la voyant, ce fut le coup de foudre ! Elle s'appelait Anne. Tous les trésors de la Terre ne pouvaient égaler la beauté de cette perle. Immédiatement, mon désir était de la voir tourner autour de ma sphère. Je le savais d'avance, je le pressentais : elle seule avait le pouvoir de combler le vide de mon existence. Sa main était si douce ! Trop longtemps la solitude avait été ma seule compagne aux temps des cachots. Enfin, la vie me présentait ce bel oiseau du paradis. Pouvais-je espérer partager avec elle ces beaux moments de ma vie ? Sa présence me comblait de joie. Elle rafraîchissait ma vie comme la brise du soir après un jour de canicule. Elle marchait avec les anges du ciel, ça c'est sûr ! Comme une source miraculeuse, elle serait le remède à tous mes maux. "

"Vous reverrais-je, mademoiselle ? "

"Ça l'avait fait sourire. Déception. Elle refusa... Elle disparut, son image vaporeuse se dissipait ainsi que mon rêve. Il ne me resterait plus désormais que ma passion pour la nature. "

"Voici une anecdote cocasse survenue lors d'une expédition de chasse. Un beau jour, je devance mon père pour le début de cette période. J'étais seul dans le bois à l'endroit même où un ours venait rôder la nuit. Mon père avait un ami polonais dont le frère avait coutume de nous suivre. Il nous savait bons chasseurs et venait s'installer, à tous les ans, à proximité de notre territoire, à quelques centaines de pieds à peine. Ce jour-là, il était seul lui aussi et attendait que son frère le rejoigne. Son problème était qu'il avait une peur bleue, seul dans les bois. Il arrive à mon campement, une bouteille de vodka à la main. Il était soûl, en plus d'être laid et maigre à en faire peur au carême. Il parlait mal toutes les langues. Il m'aperçoit, vient me trouver et me persuade de le suivre à son campement pour me montrer "des choses". J'y vais, j'entre dans sa tente, accroupi sur mes genoux. Il m'offre un verre. Je trinque avec lui, mais il ne se passe pas grand temps avant que mon hôte ne soit hors de contrôle. Il sort son couteau en oscillant d'avant en arrière et passe près de m'estropier. Impossible de lui faire comprendre le bon sens. Arrive enfin le temps de partir pour la chasse du soir. Le "pollock" prend sa carabine d'une manière dangereuse, passe le canon devant ma figure en titubant et s'engage dans un sentier. J'en emprunte un autre. "

"C'est ainsi que j'ai réussi à me débarrasser de lui. La brunante est arrivée, la nuit va tomber bientôt lorsque plusieurs coups de feu rompent subitement le silence. Je retourne à mon campement pour attendre... Soudain, oncle Léon, qui ressemble en maladresse à ce Polonais saoul, s'amène. "

"Un jour, alors que nous étions en route pour une partie de chasse, oncle Léon voulait vérifier si sa carabine était chargée. Il ouvre la portière arrière, prend son arme et appuie sur la gâchette en pointant l'intérieur de l'auto. Le coup est parti et a frappé une autre carabine qui était sur le plancher de l'auto. Le canon de l'arme a explosé et a endommagé le dossier du fauteuil avant. Ma mère y était assise. Elle en est presque morte d'une syncope. Elle est sortie de l'auto, le fessier endolori et hurlant de peur. Ça été pour elle sa dernière partie de chasse. "

"C'est donc cet oncle Léon, expert dans ce genre de maladresses, qui arrive au campement, tout blanc, énervé, incertain. "

"Il me dit : "Gaby, je viens de voir un fou couché sur le dos dans un trou de boue et qui tirait sur un avion. "

"C'était notre polonais, bien sûr ! Il s'était endormi, assis sur un arbre mort qui traversait le chemin. Son ivresse l'avait fait basculer et il roupillait tranquillement dans un trou de boue. Les gardes-chasse qui patrouillaient en avion avaient sans doute repéré quelque chose d'anormal et tournoyaient au-dessus de lui. C'est ce qui l'avait réveillé : il se croyait attaqué par les Allemands, comme au temps de la guerre et il ripostait en faisant feu sur eux. Heureusement, il n'y a pas eu de conséquences fâcheuses. "

"De son côté, Papa continuait de bâtir des maisons en plus de travailler à la mine. Il m'employait comme manœuvre et m'a initié au métier. J'assimilais si bien que j'en suis venu à en connaître tous les secrets. Mais il ne cessait de critiquer. J'avais beau me donner à fond, infailliblement il me réprimandait quand même. Un jour que nous étions, un ouvrier, papa et moi, à finir la corniche, mon père se fâche après moi et me critique sévèrement. C'en était assez. J'ai déposé mes outils pour ensuite ficher le camp. Les larmes aux yeux et le cœur gros, je m'éloignais en espérant que papa me rappelle. Il ne l'a pas fait. Je ne saurais expliquer jusqu'à quel point ça m'a fait mal, mais il ne s'en n'est pas rendu compte. On a su peu de temps après que l'état de son caractère était causé par une maladie qu'il avait contractée dans les mines, la silicose. On nous a expliqué que cette maladie mortelle influait sur le caractère. "

"Père a fini par entrer à l'hôpital. Il ne lui en restait plus pour longtemps. Alors, pour lui faire plaisir et lui montrer que je pouvais être responsable, j'ai entrepris la construction d'une maison avec un associé. Ça allait bien pour la construction, mais pour papa ça allait de plus en plus mal. Il dépérissait à vue d'œil. C'est ainsi qu'il a lutté jusqu'à ce que la maison fut terminée. Un jour, je le vois qui s'amène au chantier en chaise roulante. Il ne lui restait que la peau sur les os, mais il a encore trouvé la force de critiquer sur la finition de la corniche. Il est mort peu de temps après. "

"Ces critiques venaient chercher mes émotions. Un papa demeure toujours un papa et je l'ai aimé quand même. "

"Le crime ne m'attirait plus. Les profits de la vente de la maison me permettaient de bien vivre. J'avais enfin trouvé une place qui me convenait. J'éprouvais un réel plaisir à voyager l'hiver et à travailler l'été. De plus, mon manque de talent dans le domaine criminel était flagrant et plus je prenais goût à la vie, plus je redoutais la lourdeur des conséquences du crime. "

"Dans la liste de mes déboires, on peut compter plusieurs accidents d'auto spectaculaires. Un jour que je me rendais au travail, un automobiliste me coupe la voie et m'oblige à me tasser sur la banquette. Pour éviter deux enfants, j'ai dû foncer sur une maison et pénétrer au salon sans y être invité. Somme toute, je peux me compter chanceux malgré mes revers au volant : il n'y a jamais eu de casses irréparables. J'étais simplement malhabile et spécialiste des pirouettes. Il y avait un Dieu pour moi qui m'a protégé de conséquences irréversibles. Une autre fois, après avoir acheté une auto neuve offerte par maman, j'ai manqué une courbe trop prononcée. Après plusieurs tonneaux, l'auto s'est arrêtée sur de gros rochers au milieu d'un champ. Les passagers qui étaient avec moi me cherchaient partout. Ils me croyaient mort sous la voiture, mais je n'étais qu'étouffé, la tête dans les quenouilles du fossé, dix mètres plus loin. Je m'en suis sorti indemne comme par magie ! "

"Des balles qui me frisent les oreilles, des milliers de dangers, et jamais rien ! "

"Pourquoi ? "

"Un de mes copains de prison qui habitait la ville de Québec éprouvait des difficultés et m'a demandé de venir habiter chez nous. Je lui ai ouvert la maison de ma mère. Aussitôt installé, il se met à parler de faire un coup. Il me propose d'y participer. J'accepte sans grande conviction, car ça ne me tentait pas vraiment. Mes constructions me suffisaient, mais je ne voulais pas perdre la face : mon image a été plus forte que moi. "

"Toujours est-il que nous prenons des habits dans la garde-robe de mon père décédé. Nous nous procurons perruques et fausses barbes et nous partons pour le Mexique dans le vieux tacot de mon père. Notre plan était simple : une fois au Mexique, nous enverrions des cartes postales. Entre-temps, nous reviendrions au Québec faire le coup et retournerions là-bas. Quel alibi ! "

"Au Mexique, mon copain un peu gaffeur trouve le moyen de se faire arrêter et se retrouve en prison. Il était bien saoul. On l'amène sur le toit d'un poste de police, dans une cellule en ciment qui renferme une quarantaine de détenus. Il se couche par terre sur le côté de la pièce qui était déserte ; il ne savait pas que l'endroit servait de "petit coin". Le lendemain, je me présente à la visite après avoir payé les gardes pour obtenir cette permission. C'était pitié de le voir ! Il faisait une chaleur torride. Il était beurré d'excréments et d'urine, sale et malade de boisson, il puait comme une moufette. J'ai réussi à le faire sortir de là en achetant un peu tout le monde, sauf le dirigeant principal, un fonctionnaire haut placé qui n'a pas voulu de mon argent. Nous revenons donc au pays avec l'intention de faire le coup. À la dernière minute, mon comparse s'est énervé et a décidé de mettre un terme au projet qui a pris le chemin des tablettes. Et moi, je m'en trouve libéré et bien soulagé sans perdre la face. J'avais perdu tout intérêt à traîner mes savates dans le milieu : ma liberté était un acquis si précieux ! "

"Mes activités préférées étaient d'aller à la pêche, me faire dorer au soleil et jouir du moment présent. Je travaillais à la construction de deux maisons et mon existence se déroulait en toute normalité. Mais l'ami qui voulait faire le coup s'est ressaisi et décide de commettre le vol. Il demande à l'un de ses compères de Québec de venir le rejoindre. "

"Vendredi soir, huit heures trente environ. Nous sommes attablés au restaurant, ma copine et moi. Nous parlons de tout et de rien, la vie est belle, je ne vis que pour vivre. Le temps passe en douceur. Vers neuf heures quinze, le gars en question se pointe au restaurant, passe un objet que je ne vois pas à un autre gars (c'était une arme), puis vient me voir. Il me demande de lui prêter ma voiture. Je la lui prête et je reprends la conversation avec ma blonde. Tout à coup, mon auto réapparaît en face du restaurant. Celui qui conduit n'est pas mon copain et il semble très nerveux. Il vient près de faire un accident. Je m'excuse auprès de ma blonde et je me précipite pour le rejoindre. Comme le trafic est très dense, l'auto n'a pas beaucoup avancé. Je dis au conducteur de sortir de ma voiture. Je m'installe au volant et fais le tour du quadrilatère. Mon copain était assis à la place du passager et m'explique ce qui s'était passé. Il avait fait un vol avec une autre de ses connaissances. Il avait pris les habits de papa et d'autres objets qui pouvaient être reliés à moi. Nerveux, au lieu de se diriger vers leur cachette prévue quand il a entendu les sirènes de police, il a bifurqué dans un stationnement derrière le restaurant où j'étais attablé avec mon amie. Après avoir caché l'argent sous une fenêtre dans un coin sombre du parking, il était venu m'emprunter ma voiture. C'est donc au volant de mon auto que les policiers m'ont interpellé : c'en était assez pour qu'on m'accuse de vol. Retour à la case 'cellule'."

"Lors du procès, tout le monde était au courant que je n'avais pas commis ce vol, mais tout avait été trafiqué pour que je paraisse coupable. Une stagiaire qui travaillait pour la couronne a laissé son travail en disant : "Je n'ai pas étudié toutes ces années pour servir une

justice comme celle qui se présente devant moi."
Les policiers ont intimidé les témoins. Tous, ils
ont eu peur : plusieurs avaient des choses à se
reprocher et voulaient continuer leurs petites
magouilles. La plupart avaient déjà eu des
démêlés avec la justice. Les serveuses n'ont pas
osé venir témoigner en ma faveur. Le gars
responsable du délit a été arrêté. On s'est
empressé de le mettre dans un autobus en lui
ordonnant de ne plus remettre les pieds dans la
région ; du moins, c'est ce qu'on racontait. "

"Tout ce beau monde ne voulait sans
doute pas faire le mal. Il faut bien dire que les
circonstances ne jouaient pas en ma faveur. On a
fini par se convaincre que j'étais coupable ou tout
au moins a-t-on choisi de me prêter l'intention de
commettre ce délit. Ça arrangeait bien du monde
de croire ça. "

"Durant le procès, une vieille dame jura
solennellement dur comme fer que c'était moi qui
avais mis l'argent sous sa fenêtre. Elle a eu droit
à la protection, c'est-à-dire à une récompense.
Elle fut admise, suite à cela, dans un foyer pour
vieillards pour la remercier de son parjure. "

"Le juge m'a trouvé coupable : je buvais, je
me bagarrais, je dérangeais. Ces attitudes n'ont
sans doute pas joué en ma faveur. Puis il y avait
la pression policière qui tentait à tout prix de se

débarrasser de moi. Je faisais peur. Craignaient-ils une vengeance de ma part suite aux événements qui m'avaient conduit au pénitencier pour six ans la première fois ? La sentence tombe : quatre ans de réclusion. Lors du prononcé, un terme de quatre mois pour bris de conditions m'avait été signifié. "

*

"Et voilà que la même chanson recommence : transfert de prison en prison jusqu'au pénitencier attitré. J'avais vécu quatre ans en liberté et je commençais à peine à me défaire du retard que m'avait causé la prison au plan social. "

"Heure après heure, jour après jour, les années ont passé. Toujours avec cette faiblesse, la peur que l'on dise du mal de moi, toujours avec ce feu qui se consumait en moi. Toujours avec cette soif d'amour impossible. L'artisanat et le sport m'ont permis de m'exprimer, de me défouler et de me trouver un peu. Le temps s'écoule. Louise, ma copine du restaurant, venait me voir à la visite. Elle avait été tellement manipulée lors des événements qu'elle doutait de mon innocence. Je me disais : "Que je commette un crime ou non, on me met quand même en prison ; le mieux serait sans doute de risquer de faire des coups pour me sortir de la misère qui m'attend à la sortie." Le temps a filé sans trop de

173

problèmes, mais le système carcéral m'a réellement atteint. Un être humain qui demeure incarcéré durant des années a besoin d'autant de temps pour s'en remettre. Ce fut mon cas. "

"Vous n'êtes plus habitué de gagner votre pain, votre cadence est celle de la prison : vous avez marché durant des années au rythme des règlements. Puis d'un coup, vous débarquez sur la planète. Pensez-vous qu'on va vous faire de la place sans plus ? Bonne chance ! Le détenu qui sort du "pen" doit regagner sa position dans la société et se refaire des amis. Il doit aussi se choisir de nouvelles activités et les pratiquer jusqu'à ce qu'il s'imprègne de son nouveau rythme de vie. Il doit apprivoiser de nouvelles relations qui vont l'accepter et lui plaire. Il doit aussi apprendre à planifier un budget qui souvent est inexistant. S'il n'est pas trop orgueilleux, il aura recours à l'aide sociale et à différents organismes pour se meubler, mais là encore, rien n'est tout à fait gratuit. Puis, il doit se trouver un emploi. "

"S'il est libéré à l'approche du temps de Noël, il devra attendre après les Fêtes pour contacter les gens, car tout le monde a d'autres choses à faire que de s'occuper de lui ! Il peut se compter chanceux s'il trouve un ami ou un parent pour l'aider. Les deux pieds dans la "slush", mal habillé et se retrouver le soir de Noël, grelottant, à attendre sur le coin d'une rue que la fête passe pour voir un peu de monde. J'ai connu ça ! "

"Ce qui m'attendait à la sortie ressemblerait donc à une expédition en terre hostile : la route allait être longue, tout serait à recommencer. "

"J'ai été libéré au bout de trois ans. Miguel, un de mes amis qui s'en faisait avec rien, est venu me chercher à la sortie du pénitencier. Il est arrivé avec une auto à faire rêver. Il m'apportait aussi des vêtements pour me changer. Sur le chemin du retour, je me suis mis à déchirer le linge "offert" par le bagne. Je l'arrachais par lambeaux pour exprimer ma révolte. Miguel a été un peu surpris de me voir agir ainsi : il a haussé les épaules sans trop comprendre. "

"Durant cette période de ma vie, j'ai vécu de bons moments. Louise m'avait rejoint à Montréal et je me suis trouvé un emploi dans un centre communautaire comme chauffeur. À la naissance de notre fils Pierre-Paul, elle a complètement changé d'attitude. Autant elle m'avait laissé libre, autant elle était devenue contrôlante depuis la naissance de notre enfant. Elle rêvait de mener une petite vie de famille. Mais, il y avait un vide dans mon existence que je n'arrivais pas à m'expliquer, comme si une voix intérieure me murmurait : profite de la vie, reprends le temps perdu. Je croyais pouvoir éteindre ce feu en m'amusant. Je me suis mis à sortir avec mon copain Miguel. Tous les prétextes étaient bons pour faire une petite beuverie et prendre de la drogue. Louise réprouvait mes comportements. Un jour, elle est partie avec les meubles pour retourner chez sa mère avec l'enfant. Puis elle est revenue. La troisième fois qu'elle utilisa ce stratagème, j'ai refusé de reprendre avec elle ; je voulais jouir de tous les plaisirs. "

"Miguel et moi visitions une île transformée en aire de loisirs. Nous avions consommé de la mescaline et un peu de boisson. Nous avions tendance à abuser des psychotropes. Il y avait dans le décor une tour en pierres datant du siècle dernier. Nous voilà à nous imaginer qu'une belle princesse était retenue prisonnière dans ce donjon. La substance ingurgitée faisait de plus en plus effet. Nous étions assis dans l'auto de Miguel garée sur le bord d'un petit sentier asphalté. "

"Arrive la noirceur qui tend ses pièges. Soudain, des automobiles ont commencé à arriver, des autos de luxe, qui se garaient partout autour de nous. Les gens descendaient et passaient près de notre véhicule. C'étaient pour la plupart des gens de l'âge d'or. En passant près de notre auto, ils se penchaient pour nous regarder par les vitres de la portière. Avec l'effet de la drogue, ces gens nous paraissaient laids à faire glacer le sang. Comment oublier le visage de cette vieille dame qui s'était penchée très près de la vitre et dont le sourire aimable nous avait effrayés ? Puis ces visiteurs de la nuit s'enfonçaient dans les buissons et s'évanouissaient dans les ténèbres. "

"Le calme revenu, nous étions convaincus, dans notre "trippe" de drogue, que ces gens étaient des morts-vivants qui gardaient une jeune fille prisonnière dans la tour pour on ne sait quel rite diabolique. Nous volons donc au secours de la belle. En suivant le sentier au travers des buissons, nous avons aperçu une vieille maison d'époque. On s'est dit qu'il y avait sûrement un passage secret qui menait à la tour. Nous entrons donc dans la vieille maison : il s'y déroulait une soirée à laquelle assistaient ces gens de la haute avec champagne et musique classique, prélude à une pièce de théâtre qui était sur le point de commencer. Quand quelqu'un s'approchait de nous en souriant pour nous parler, nous lui disions, pour ne pas être éliminés, que nous étions nous aussi des morts-vivants. Le stratagème fonctionnait. Nous étions soulagés qu'ils nous laissent tranquilles. "

"Nous voilà à la recherche de la porte secrète qui nous mènerait au donjon de notre prisonnière imaginaire. Comme Miguel était parfois très bruyant dans ses fouilles, j'essayais de détourner l'attention par des diversions ingénieuses. L'inquiétude que l'on découvre que nous faisions partie du monde des vivants en rajoutait au stress que nous vivions déjà. Quand la pièce de théâtre fut commencée, les gens se tournaient vers nous beaucoup plus préoccupés de nos niaiseries que de la pièce de théâtre. À l'entracte, Miguel me chuchote, tout en cherchant la porte secrète : "J'ai trouvé la Joconde." "La Joconde!" lui rétorquais-je, tout en le regardant d'un air intéressé. "

"Nous voilà maintenant à nous prendre pour des voleurs d'œuvre d'art. Aux oubliettes, la belle prisonnière. On organise donc le vol de la peinture avec un scénario digne des meilleurs films. Au petit jour, quand nous sommes arrivés chez moi avec le cadre en carton d'une grosse bonne femme coiffée de grappes de raisins, on avait l'air idiot. "

"Ma concubine partie, je me sentais libre comme un papillon qui butine de fleur en fleur. "

"À l'ouvrage, le contrat de construction tirait à sa fin. Le patron m'avait demandé de porter des documents à une cinquantaine de milles plus loin. J'eus un accident et son auto fut complètement démolie. Renvoi immédiat ! Il ne me restait plus qu'à retourner dans ma ville natale où mes ressources familiales pourraient m'aider. "

"Entre mes écarts de conduite et mes aventures parfois cocasses, je vagabondais en m'amusant, aucunement inquiet du lendemain. "

"Vint le temps où le charme des demoiselles un peu frivoles n'arrivait plus à m'émouvoir. Dans mes aventures, il m'était arrivé souvent de croiser Anne, cette jeune fille qui un jour avait refusé mes avances. Elle habitait un chalet au bord d'un lac, tout près de celui de ma copine du moment. Un beau matin en entrant au chalet de ma blonde à la cuisse légère, une surprise m'attend : je la surprends au lit avec un autre type. Je suis alors allé prendre une marche du côté du chalet de la demoiselle qui avait tant séduit mon cœur. Il se trouvait tout près, de l'autre côté de la baie. "

"La vie parfois fait bien les choses : Anne arrivait de la ville avec un voisin qui venait de la faire descendre de voiture. Elle se dirigeait vers son chalet quand je l'ai abordée sur le chemin de gravier. "Avez-vous changé d'idée, Mademoiselle Anne ?" Elle m'a souri, comme la première fois. Soudainement, une violente bourrasque souleva la poussière du chemin. Nous avons instinctivement levé les yeux vers le ciel. Un gros nuage sombre se formait au-dessus de nos têtes. Quelques gouttelettes confirmèrent notre inquiétude : un orage allait éclater. Nous étions près d'un gros sapin dont les branches épineuses partaient du tronc à hauteur d'homme. Anne suggéra d'aller nous y abriter. "Vite, Gabriel, tu vas être tout trempé", qu'elle me dit. Et comme si elle l'avait commandée, la pluie nous frappa de plein fouet. Je l'ai entourée de mon bras pour la protéger. Nous voilà partis à rire de tout notre cœur. Et son linge qui lui collait à la peau… "

"Nous nous sommes laissés pour aller nous changer. J'habitais notre maison d'été pas très loin sur l'autre rive du lac."

"Je lui avais demandé avant qu'elle me quitte : "Ce soir, peut-on se revoir?" Extase infinie, plaisir sans égal, joie de rêve. Elle a accepté… Il ne n'en fallait pas plus pour que ma déception sombre dans l'oubli. "

"Cette fois Anne était libre et moi aussi : son ami s'était suicidé, ma blonde m'avait triché. Tout s'est déroulé comme dans un rêve. Il n'a fallu que quelques jours pour que nous nous fréquentions intimement. Le paradis sur Terre. "

"C'est ce que cette fille dégageait qui m'attirait tant ; sa douceur m'apaisait. Enfin, mon plus grand désir devenait réalité, ce désir sincère que je ne croyais pas possible : aimer vraiment. En sa présence, l'avenir n'était que certitude. Plus rien ne m'inquiétait : je ne voulais que vivre, et vivre intensément. Quelle belle sensation ! Elle agissait sur moi comme l'eau d'une source fraîche sur les flammes de mon être. Elle était belle, de cette beauté rare qui s'harmonise avec la vie. "

"Au chalet, près du foyer du salon, il y avait une grosse table de crible en bois massif. Anne aimait en jouer, c'était son petit péché mignon. Quelle soirée merveilleuse, quel atmosphère, avec le bois qui pétille, la lueur de la lampe à l'huile et le calme. Vers la fin de la soirée, la lumière de la lampe baissa et notre partie de cartes se fit plus intime... Notre premier baiser... "

"Au beau milieu de la deuxième partie, ma douce mit sa main sur mon genou et de son plus beau sourire, approcha sa bouche de mon cou. Je sentis son haleine chaude près de mon oreille et nos bouches encore une fois se sont rencontrées dans un instant d'éternité heureuse. Il faisait nuit. "Que dirais-tu d'une baignade dans le lac ?" L'eau était douce et noire. Nous nous sommes rafraîchis sous une nuit céleste lourde d'étoiles. "

"Je lui ai caressé la joue et elle m'a murmuré doucement : "Chaque fois que tu me donneras un baiser, j'imaginerai une étoile dans le ciel et ce ciel, je veux que tu le remplisses ! "

"L'orage dans mon cœur s'était enfin apaisé ! "

"Elle est partie dans une autre ville pour y travailler comme serveuse dans un bar. Un beau soir, qui avait-elle comme client ? Je vivais dans les pages de mon grand roman d'amour tant rêvé lors de mon séjour au bagne. Elle s'est accrochée à mon bras et nous ne nous quittions plus. Elle était partie prenante de mon voyage. "

"Mon copain, celui qui avait fait le vol pour lequel j'ai toujours clamé mon innocence, a refait surface dans ma vie. Il nous invitait à une partie de chasse. Cet homme devait être lié à mon karma ; toujours est-il que nous sommes partis le rejoindre dans le petit village où il habitait. "

"Arrivés chez lui, nous avons pris un verre, puis un autre. Nous nous sommes ensuite mis à prendre des pilules pour les nerfs. Nous en avions consommées au point où nous avons dû remettre le départ pour la chasse au lendemain. "

"La folie nous prend de nous maquiller avec la trousse de sa femme et nous partons pour l'hôtel du coin, comme si nous étions le soir de l'Halloween. Le lendemain, tout ce que nous voulions, c'était de ne pas nous faire reconnaître, tellement nous avions honte des conneries que nous avions commises. Nous partons enfin pour le nord. Mon ami prétendait que l'endroit n'était pas loin. Nous avons roulé toute la nuit et c'est juste avant le lever du jour que nous sommes arrivés à destination. La femme de mon copain détestait la chasse et se lamentait sans cesse. J'arrête donc l'auto. Nous marchons un peu sur une colline et nous nous étendons sur l'herbe. Il n'en fallait pas plus pour que le sommeil nous envahisse. Soudain, nous sommes réveillés par le vacarme de trois avions à réaction passant à très basse altitude. Le bruit de ces supersoniques retentissait de telle manière sur les collines qu'on aurait pu croire que la guerre avait éclaté. "

"Le jour s'était levé et tout autour de nous ce n'était que désert, rien n'y poussait, pas un seul arbre aussi loin que notre regard pouvait porter. Nous nous sommes mis à taquiner mon copain en lui disant : "Une chance que ce n'était pas loin, ton territoire de chasse ! On a sûrement dépassé la toundra durant la nuit !" La forêt avait disparu à cause des coupes de bois. Après avoir ri de lui un bon coup, nous avons décidé de rebrousser chemin. Nous sommes revenus de quelques centaines de milles plus au sud. "

"Nous nous sommes arrêtés dans une pourvoirie. Nous avons loué un bateau à moteur dans le but de pouvoir traverser le lac. C'était une étendue d'eau d'une assez grande superficie, avec des vagues de trois pieds ! La chaloupe avait le nez plat. Après un moment à naviguer, comme je ne savais pas conduire ce genre d'embarcation, j'ai piqué droit sur une vague qui a aussitôt envahi le bateau ; tout notre matériel était trempé. Devant cette complication, priant tous ensemble pour ne pas couler, nous avons opté pour rejoindre la berge. Nous avons longé la rive jusqu'à un endroit où nous pouvions camper. Nous avons installé la tente et la nuit venue, nous nous sommes couchés. Mon copain ronflait tellement que dormir s'avérait impossible. Moi et ma douce sommes partis plus loin sur un cap de roche avec nos sacs de couchage. Nous nous sommes servis de la chaloupe comme abri, car il avait commencé à neiger. Anne recevait de la neige dans le visage, elle avait froid et se blottissait contre moi mais nous avons fini par nous endormir comme des bébés, malgré nos équipements trempés. "

"Le lendemain, je décide de montrer à mon copain comment embarquer dans un canot et "plouf", je tombe à l'eau. Il se met à rire à son tour de tout cœur. "

"Durant la journée, je suis allé faire une randonnée avec un chasseur, copain de longue date, que j'avais rencontré par hasard sur ce même lac. "

"Ayant aperçu un castor, mon ami l'a tiré tout bonnement pour rien, pour tuer. C'est une chose que je ne comprendrai jamais. "

"Il y a des gens qui tuent les bêtes sans aucune raison, pour le plaisir de tuer. Ils croient peut-être que les animaux ne sont que des créatures sans sentiments ni âme. "

"Moi, je ne suis pas si sûr que les animaux n'aient pas d'âme, d'émotions et d'intelligence. Les animaux ont pour la plupart très peur de l'homme. Ils démontrent de la solidarité entre eux et souvent de l'amour. S'ils ont peur de l'homme, ça confirme bien qu'ils ne sont pas si fous que ça ! Quand ils protègent leurs enfants et les nourrissent, ils démontrent des sentiments. Ils sont rusés pour la plupart mais on préfère dire qu'ils n'ont que de l'instinct, qu'ils ne ressentent pas la douleur, qu'ils n'ont donc pas mal. Tuer pour tuer, par insouciance, je ne le comprendrai jamais. Le comportement humain rencontre parfois la débâcle de la barbarie et s'y laisse entraîner. "

"Je ne penserais sans doute pas de cette manière si, un jour, lors de l'une de mes randonnées de chasse, la nature ne m'avait pas donné une leçon qui m'a fait réfléchir. C'était au petit matin, quand le soleil cogne à la porte et nous en fait voir de toutes les couleurs. Bien protégé du froid, je sors de notre camp de toile. Il fait beau et froid. L'herbe est couverte de frimas. Je me dirige vers un endroit où on aperçoit souvent le matin des orignaux. Peut-être qu'à cet endroit la nourriture y est meilleure à cause de l'eau du ruisseau. Donc, je marche dans cette direction lorsque j'entends des sons bizarres. Je m'approche doucement. Soudain, j'aperçois devant moi un jeune orignal planté là debout, immobile. Je tire et je manque ma cible. Sa mère était tout près, qui broutait dans les taillis. Elle s'élance et en quelques bonds vient protéger son petit, s'interposant entre moi et sa progéniture. Toute énervée elle crie, avance à toute vitesse vers le faon et l'oblige à se sauver. J'étais tellement impressionné qu'une bête risque sa vie pour son petit que je n'ai plus pensé à les abattre. Et depuis ce jour, je ne vois plus les animaux de la même manière. "

"Après ces aventures, ma blonde et moi sommes revenus à nos sources et nous nous sommes installés au chalet familial. "

"Nous n'étions pas riches, mais nous étions bien. Assis sur la véranda, nous avions l'habitude de contempler les couchers de soleil. Nous admirions la toile que peignait mon peintre préféré : à tous les soirs, il nous surprenait par un spectacle nouveau. Se saisissant des nuages ondoyants, il les colore en choisissant les teintes pures de l'arc-en-ciel ; il en crée un superbe décor reflété sur la surface soyeuse du lac, puis l'ombrage si pur des arbres dans l'eau dessine l'horizon. Jamais un artiste n'a pu reproduire des couleurs aussi magnifiques ! "

"Nous contemplions la féerique beauté de la vie jusqu'à ce que les mailles de la nuit nous enivrent de sommeil, Anne, mon amour, bien blottie contre moi. L'idée de me trouver un emploi faisait doucement son chemin dans mon esprit. Pourquoi m'inquiéter de l'avenir ? La détresse avait été trop longtemps ma compagne. Le temps présent jetait un baume sur mes souffrances. Ce léger répit me semblait un parfum si doux ! Je pansais mes plaies, comme un vaillant guerrier blessé qui soigne ses blessures et refait ses forces pour affronter sa destinée. Ma douce pouvait-elle comprendre la saveur de ces moments ? "

"Puis un bon jour, elle est partie, me laissant dans le désarroi. Lorsqu'elle réalisa mon chagrin, elle m'est revenue, avec en plus la bénédiction de ses parents. "

"Nous avions, hélas, un certain penchant pour la bière et nous étions souvent "partis sur le party". Il ne se passait pas une journée sans que nous ne buvions. Un vieux monsieur, un vrai génie en électricité, m'a offert un emploi dans une mine. Il m'aimait bien et voulait m'initier au métier. Mais vint le temps où ma libération conditionnelle a pris fin. Le jour même, au lieu de rentrer au travail, j'ai dit à ma bien-aimée : "On part pour la Floride". Et nous sommes partis faire l'amour là-bas, au soleil, dans l'océan jusqu'au nombril. "

"Lors de nos beuveries, la chicane prenait souvent. Ce n'était pas toujours beau à voir. Ce sont des choses dont on préfère ne pas se vanter. De temps à autre, mon fils me voyait apparaître chez lui. Il était âgé d'à peine deux ans : je me trouvais lâche de l'abandonner pour une fille. Un jour, il m'a tiré par la jambe pour me faire comprendre qu'il voulait que je reste auprès de lui. Mais en ce temps, l'état de mon cœur et de mes sentiments était des plus troublés. La faiblesse et la souffrance qui m'habitaient gérait ma vie, un pauvre clochard mendiant l'amour à un être qui ne le lui accordait que par pitié. Telle était ma situation devant l'amour que j'éprouvais pour ma bien-aimée. Tous les déchirements de mon enfance et de ma jeunesse revenaient à la surface. La manière d'agir de cette femme me remettait en situation de rejet. La fleur de son cœur qu'elle m'avait offerte un jour semblait se faner. Mais je ne voulais pas l'admettre car elle avait le pouvoir de me soigner, de me guérir, de me nourrir de l'amour dont mon enfance avait été privée. Donc, pour le moindre de ses désirs, désarmé, je pliais, j'abandonnais mon idéologie pour ne pas perdre cette relation. "

"Il me fallait trouver de l'argent, beaucoup d'argent, car elle voulait que nous partions nous installer au bout du pays. Je ne pouvais pas ne pas satisfaire son rêve parce que n'importe où avec elle, la vie glissait doucement. Devant l'ultimatum, j'ai fait un délit. Pour lui plaire, pour ne pas la perdre ! Pour me prouver que j'en étais capable. D'ailleurs, je m'étais promis qu'un jour je vérifierais si j'avais vraiment le courage de faire seul ce fameux coup tant convoité dans le monde de la délinquance. Tout avait bien fonctionné jusqu'au jour où, suite à des informations, la police m'a arrêté. J'avais le moral dans les talons."

"Je me retrouvais en prison pour la troisième fois et on me promettais vingt ans. Pour la première fois de ma vie, j'étais atterré. "

"Au-dedans de moi, la souffrance était tellement grande que je ne pouvais plus la supporter. Je voulais mourir, mais l'image de mon fils m'a permis de combattre, lui que j'avais si égoïstement laissé tomber pour cette femme. "

"Je lui en avais assez fait. Il ne méritait pas d'avoir en plus à subir le suicide de son père. Mais malgré cela, le désir d'en finir avec la vie me pressait quand même. Ce mal qui me faisait bouillir les veines devait cesser. Mais là où je me trouvais, la victoire de la survie n'était pas gagnée d'avance. J'allais dans ma cellule avec le but d'en finir. J'examinais les barreaux de ma cage. Je m'imaginais tresser une corde avec un drap blanc. Mais je résistais à l'envie de mourir, même si la pression de l'endroit me poussait vers le désespoir. Comment nommer ce malheur quand il nous accable ? Comment définir ce qui se passe avec notre corps ? On ne peut plus tenir dans sa peau, on ne perçoit que désolation, ruine et tourment. Les émotions se bousculent et se heurtent. La mort, cette délivrance, m'apparaissait le seul remède. Les murs de ciment et les barreaux m'écrasaient, tel un joug. "

"Ma pensée glissait vers le désespoir, sans contrôle aucun. Le psychiatre m'a prescrit quelques pilules assez fortes pour assommer un cheval. Mais après quelques jours, je les ai mises de côté pour pouvoir faire face à la situation sans artifice : c'est une tâche éprouvante dans cet endroit lugubre et froid qu'est la prison. Un codétenu essayait de m'encourager en me prêtant un peu de son moral. Quand nous allions dans la petite cour de ciment, il venait près de moi et essayait de me faire rire un peu. Ma concubine venait me voir à la salle de visites, mais de façon si irrégulière qu'on aurait dit qu'elle se fichait bien de moi. Je cherchais malgré tout à m'accrocher à elle, à la vie. La réalité me semblait un chemin sans issue, un poids trop lourd à porter. "

"Un jour vint un ami, un cadeau du ciel sans doute, qui m'a donné un fier coup de main : il avait des relations et de l'argent et il s'en est servi pour m'aider. C'est ainsi que j'ai eu l'assistance d'un avocat qui fut comme un père pour moi. Il était appuyé d'un criminaliste de renommée. J'ai été libéré sous cautionnement. En fait, je devais ce miracle à combien d'autres éléments fournis par Dieu lui-même ? Il m'a sorti du pétrin plus d'une fois par chance. Mon amour m'est revenu. J'ai participé à un projet de construction, ce qui m'a permis de faire beaucoup de sous. Nous nous sommes mariés, Anne et moi, et nous vivions la vie comme une fête perpétuelle, entourés du grand luxe. Nous obéissions à tous nos caprices. "

"Nous habitions une maison que nous avions louée. Elle était située près d'un lac, dans un lieu nommé : "La Vallée des Ombres." Je ressentais une atmosphère étrange et surnaturelle régner dans cette demeure. Un voisin me raconta la légende entourant cette maison, une histoire de famille riche venue d'Angleterre, de trésor caché et d'un cadavre trouvé dans l'escalier de la cave avec les mains en décomposition. Il n'en fallait pas plus pour exciter ma curiosité. Ma surconsommation aidant, je croyais ressentir la présence de fantômes qui essayaient de m'indiquer où était enfoui le fameux trésor. J'ai alors entrepris mes recherches. Les voix m'ont indiqué que je devais commencer par la cave. Puis elles se sont ravisées : c'était plutôt près d'un arbre dans le jardin. Pour ne pas éveiller les soupçons des voisins, je me suis mis à creuser au milieu de la nuit. Dans le silence nocturne, mes guides m'ont fait comprendre que je devais plutôt concentrer mes efforts sur le plafond du salon. Puis ça été le mur du salon, puis le grenier. Ma femme n'en pouvait plus. Elle n'était pas en contact avec les voix et me traitait d'illuminé. "

"Aux prises avec ces excès, j'en suis venu à me croire épié de tous. Tout le monde devenait suspect : les gens qui attendaient l'autobus, les automobilistes, les piétons qui regardaient la maison en passant. Un jour, en arrivant de la ville, j'ai sauté sur ma motoneige vêtu d'un simple complet. Je devais faire un tour sur le lac dans le but de semer mes supposés poursuivants. "

"Je me sentais surveillé, mais en fait, il était plus que normal que le détraqué qui se promenait en habit sur sa motoneige au mois de janvier à quarante sous zéro attire l'attention. Je rentre enfin chez moi. Ma femme recevait sa famille pour fêter l'anniversaire de son jeune frère. Tout le monde présent était étonné de me voir dans cet état. Ma femme ne put s'empêcher de me traiter de fou. Je lui ai dit que j'écartais mes poursuivants ! Cet après-midi-là, j'ai acheté une maison et j'ai donné ma motoneige au jeune frère de mon épouse en guise de cadeau de fête. Le lendemain, une fois revenu à la réalité, je trouvais ça moins drôle sans motoneige. "

"Je voulais apprendre à piloter un avion. Drogué jusqu'à halluciner, j'avais l'impression d'être en contact avec le monde extra-terrestre. Tous les pilotes qui ont essayé de m'initier au métier ont fait une dépression nerveuse. "

"Mon esprit téméraire et mon âme d'aventurier me poussaient à voyager. C'est ainsi que j'ai visité des endroits au Québec qui sont d'une grande beauté. Malgré tous mes déboires, ma femme m'acceptait tel que j'étais : c'était pour moi du jamais ressenti. Elle avait le pouvoir de m'apaiser, de libérer mon âme de ses prisons intérieures. "

"Oui vraiment, il y avait un Dieu pour moi. Notre nouvelle maison s'avéra une bonne occasion et nous y avons emménagé. "

"La vie me comblait d'un plaisir sans borne. Se préparait-elle à mieux me noyer dans la souffrance extrême qui allait survenir ? Comment aurais-je pu comprendre la chance que j'avais de pouvoir ressentir aussi intensément les événements de ma vie ? "

"Plusieurs amis, de très bons amis, m'ont fait l'honneur de parcourir un bout de chemin à mes côtés. Plusieurs m'ont permis de sortir de la misère. Mais mon grand cœur et mon besoin incontrôlable d'être aimé ont fait de moi un irresponsable, un innocent plein d'argent qui dit toujours oui avec une confiance aveugle ! Avec une telle philosophie, mon manque de discipline, ma trop grande confiance envers les autres et le besoin d'être reconnu faisaient de moi un pantin. Et quand je me retrouvais en tôle, tout se volatilisait."

"Mes causes ont traîné pendant quatre ans puis un jour l'argent est venu à manquer. "Pour regarder ton problème sous un autre angle, me disait l'avocat, il faudrait un gros montant d'argent." Je ne l'avais pas sous la main. "Quatre ans" décréta le juge, suivi d'un coup de marteau."

"Le stress débordait de mes entrailles, mais il me fallait survivre à cette nouvelle épreuve. Le sang bouillait dans mes veines, je voulais retrouver ma liberté, m'extirper de cette impasse. Je rêvais d'une vie paisible, pleine de bonheur. Un seul espoir nourrissait ma vie : retrouver ma femme lors de ma sortie. Elle me disait souvent qu'elle m'attendrait. Je me suis pris en main. Au début, un état de panique et de claustrophobie m'écrasait. Il y avait encore cette impression des murs qui se refermaient sur moi. Un frémissement effarant secouait tout mon être comme un drogué sans sa dose : j'étais en manque de liberté. Quand la pression était trop forte, je sortais courir des heures durant. La forme physique me revenait peu à peu. À trente-quatre ans, je n'avais pas encore appris à quel point le fait de perdre sa liberté, ses amis, ses amours et sa routine affectait un humain et lui causait tant de peine. J'étais devenu encore plus incapable de comprendre mes sentiments. Il ne me restait que le ciel pour me prêter assistance."

"Les prisons s'humanisaient. Un gardien qui avait le goût de la réforme allait donner une session de quatre mois sur la connaissance de soi. Il m'a proposé d'y participer. J'en étais à ma

195

troisième sentence et c'était la première fois qu'un gardien me proposait de l'aide. Je me suis dit : "Je n'ai rien à perdre." Puis me voilà impliqué assidûment à ce cours. Mon niveau intellectuel d'alors ne m'a pas permis de comprendre un traître mot de ce cours, mais grâce à mes efforts et à ma bonne volonté, une libération prématurée m'a été accordée. "

"Avant de me libérer, la prison m'accorda des permissions de sortie de quelques jours, dans le but de me réhabituer progressivement à la société. J'allais retrouver ma douce et la jouissance de vivre libre. Quel bonheur ! Je flottais, j'étais sûr de ne plus jamais me remettre dans le pétrin, j'avais enfin retrouvé mes ailes. Une première sortie de trois jours m'a été accordée, ceci pour préparer ma libération définitive. J'ai volé vers mon adorée qui devait m'attendre chez sa sœur. À mon arrivée, elle n'était pas là et tout le monde semblait bizarre. Mon beau-frère m'a emmené faire une balade en voiture là où se trouvait ma demeure et il m'a dit : "Gaby, ta femme ne veut plus rien savoir de toi. Elle habite avec un autre gars et elle ne reviendra pas". Ça a fait "ouf" ! Mon coeur est devenu gros. Moi qui avais décidé enfin de lui faire confiance et de lui ouvrir tout grand mon coeur, moi qui croyais avoir trouvé le bonheur. "

"J'ai reçu cette vérité de plein fouet comme un vent glacial qu'on ne désire pas alors qu'on frissonne déjà. Un nuage de brume flottait tout autour de moi, j'étais abasourdi. Je n'avais plus d'argent, tous mes biens avaient été dilapidés. Ma maison ressemblait à une porcherie : un vandale l'avait démolie, tout avait disparu. Il ne me restait plus rien sauf un sac vert dans le pavillon près de la maison. Il contenait un peu de linge et la montre de papa. Je me suis senti seul, très seul. Je suis reparti vers le pénitencier. J'ai dû attendre toute une nuit sur un banc la venue du jour et mon heure de rentrée, le cœur déchiré."

"C'en était trop pour moi, mais jamais je n'aurais lâché prise. L'amour que je cherchais depuis longtemps à travers la haine, le désespoir et la solitude, m'échappait. Je l'avais cherché jusque dans le firmament et soudain, quand je croyais l'avoir saisi, il me glissait entre les doigts comme le sable chaud d'une plage. Dix ans passèrent et le feu intérieur était toujours présent. Pour me retrouver, je venais me recueillir au bord du lac. Je me jetais à genoux en regardant le ciel et les poings serrés, je suppliais Dieu d'éteindre le brasier qui me consumait. Rien n'y fit, la douleur était trop grande. Ma faiblesse devant la solitude rendait le désert de mon âme insoutenable. Comment faire pour retrouver le goût de vivre ? Il me fallait combattre ce virus qui envahissait les moindres fibres de mon être. J'étais hanté, possédé, je voulais qu'elle s'en aille, je voulais qu'elle s'apaise mais sans son antidote, il n'y avait rien à faire. Alors, dans mon désarroi, accroché à mes illusions, je ne perdais pas espoir de reconquérir un jour le cœur de ma bien-aimée. "

"Anne est une bonne personne, elle a tout fait pour éviter de me blesser et elle a essayé d'adoucir mon désespoir malgré tout ce que je lui avais fait subir. Elle m'a caché qu'elle en aimait un autre durant mon incarcération, elle savait que j'aurais mal. "

"J'étais celui pour qui la vie réservait le privilège de grandir. Quand on passe par de tels moments et que l'existence se consume aussi intensément, comment se rendre compte de notre chance ? Comment peut-on y percevoir une impulsion vitale ? J'ai supplié Dieu d'adoucir la brûlure en moi ! Elle ressemblait à de la lave en fusion qui s'échappait de mes veines et emplissait mon estomac. À gauche, à la place du cœur, il y avait une boule de magma entourée de chair qui se déchirait vivement, laissant ainsi échapper des toxines qui se répandaient dans tout mon être. "

"De retour au pénitencier, je me suis empressé de regagner ma cellule. La porte de mon cachot fermée, je me suis couché accroupi en position foetale ; un petit bébé avec personne pour le consoler, comme pour retrouver le ventre de ma mère. "

"Pour écouter le chagrin enfoui dans la nuit de mon coeur, il n'y avait que les anges du ciel. "

"Silence, un homme, ça ne pleure pas. "

"Le regard est-il aussi désolé que le mien pour tous les êtres qui ont vécu un amour qui se meurt ? L'air qu'ils respirent contient-il la même odeur ? Quelqu'un a-t-il goûté à cette même saveur ? Le mal est-il aussi profond pour tout le monde ? "

"Cet amour était tellement fort. Ce sentiment me possédait tout entier. Même la mort, c'est sûr, ne m'aurait pas séparé de cette souffrance, mon âme en était infectée. "

"Pour Anne, je ne vivais plus. La flamme qu'elle avait eue un jour pour moi s'était éteinte. Elle se devait d'obéir à son coeur. Elle n'avait eu que de la pitié pour moi qu'elle confondait à de l'amour quand elle se rappelait les bons moments passés. "

"Je venais de connaître une de mes plus grandes douleurs : celle que j'aimais ne m'aimait plus. Je ne pouvais pas imaginer d'accepter de mourir un jour sans son amour. Je ne pouvais me voir entrer dans l'éternité sans elle, habité d'un feu diabolique. J'étais, selon mes pensées, venu sur cette Terre pour elle, pour qu'elle soit ma compagne jusque dans le voyage éternel. Toutes ces années de rejet, de cachot, de solitude revenaient à la surface et se joignaient à ma souffrance pour la rendre encore plus tragique. Je criais cette douleur par le silence de mon être. Seul avec mon désespoir, ma peine se refoulait en dedans de moi, sans larme. La Terre entière est devenue pour moi une prison. Mon émotivité déséquilibrée, une bulle de chagrin sans borne dans l'estomac ! Je ressemblais à un clown à la mine désespérée, un chien battu qui ne sait plus vers où se tourner. Un fantôme perdu dans le néant. "

"Quand arriva le jour de ma libération, le brouillard du cœur dans mes yeux me cachait la vie. Mon travail consistait à laver des vitres. Et, chose bizarre, elle était encore là à me hanter. Elle apparaissait tout autour de moi, partout. À chaque instant, elle m'habitait et je ne pouvais m'en défaire. Mon rêve s'était envolé. Celle qui avait le pouvoir d'adoucir ma vie, de me calmer, de m'apaiser, n'était plus là, près de moi, à jamais. Elle n'avait qu'à me toucher du bout des doigts et tous mes malheurs s'envolaient. Elle était partie, insouciante ; comme si la vie me remettait mon dû. "

*

Gaby n'arrivait pas à saisir la leçon que la vie voulait lui faire comprendre. Il ne voulait pas voir que le rejet était l'un des éléments déclencheurs de sa tourmente. Il ne pouvait plus endurer qu'on le repousse. Avant d'apprendre qu'il n'y a pas d'amour sans liberté, il lui a fallu faire beaucoup de chemin, sortir de son nombril et accepter qu'il puisse perdre lui aussi. Il fallait qu'il se retrouve, qu'il soit capable de se choisir, de s'aimer lui-même en acceptant ses limites. Mais il avait perdu confiance en l'être humain et il s'enlisait de plus en plus dans la noirceur, incapable d'en tirer une leçon.

Ses réactions en amour étaient encore liées à ses apprentissages. L'autre ne l'aimait plus mais pour lui, il fallait à tout prix qu'elle l'aime. Il fallait que cette fois il se sente aimé, que ce soit à son tour d'être aimé. Il s'apitoyait ainsi sur son sort, le cœur gros et les larmes refoulées. Il ne pouvait pas admettre que l'amour veuille dire rendre l'autre heureux. Si l'être aimé se sentait mieux auprès d'un autre, s'il l'aimait vraiment, son plaisir devrait être de la voir heureuse ailleurs, là où ses passions l'attiraient. Vu qu'il n'avait pas ce qu'il fallait pour la rendre heureuse et éveiller en elle la flamme de l'amour, il ne pouvait lui enlever les chances de trouver son bonheur en la gardant près de lui. *Il ne comprenait pas que la douleur l'aveuglait au point d'être égoïste et de ne penser qu'à lui. Il mordait comme un chien qui ne veut pas lâcher sa proie. Il ne voulait que calmer la douleur qui envahissait tout son univers.*

L'amour
Est conditionnel à loyauté
S'il y a névrose
Il ne peut y avoir amour
Une femme aime un homme
Un homme aime une femme
Futilité, fragilité
Il faut se dépasser soi-même
Faire l'effort
De soigner ses blessures d'enfance pour devenir un
être vrai
Ainsi, l'amour sera un beau et grand voyage.
Sinon,
Qui viendra satisfaire d'un mirage
Ces vifs sentiments d'enfance ?
J'ai été longtemps aveugle devant moi-même
Je cherchais seulement chez l'autre
Le besoin de me satisfaire
Car je souffrais.

TROISIÈME PARTIE...

"Une fois libéré, en plus de me sentir très seul, il ne me restait plus rien. J'étais en libération de jour dans une maison de transition. Je buvais pour noyer ma peine. Ma libération m'a été vite retirée. Alors que je me trouvais chez un copain qui avait un dossier, la fête allait bon train (boisson, drogues) lorsque le "party" s'est envenimé. La police s'en est mêlé... un délit m'a été reproché, fini mon statut de libéré. Les autorité m'ont retourné au pénitencier finir mon temps, il me restait deux ans à purger. J'aurais peut-être eu une autre chance d'être libéré prématurément, mais je n'avais plus le droit de boire alors que je buvais. Les commissaires me refusaient une nouvelle libération et pour cause lors de mes audiences ! "

"Alors que j'étais président d'un groupe d'abstinence au pénitencier, les gardiens m'ont pris en flagrant délit à fabriquer de l'alcool frelaté à deux reprises ! Et, pour ajouter une couronne au sommet de mes bêtises, voici une histoire cocasse : le directeur donnait une fête en l'honneur de l'aumônier qui devait partir pour cause de maladie. Il avait invité plusieurs personnalités et bon nombre de gens de la région dans le but de faire les adieux au curé et montrer en même temps la qualité de sa prison. Un détenu avait réussi à se procurer une drogue de trop forte concentration. Il en avait donné à plus de la moitié des prisonniers. Nous sommes tous tombés bien givrés et nous ne savions plus ce que nous faisions. Les gens de l'extérieur étaient tombés sur la mauvaise journée ! "

"Il y avait des détenus intoxiqués partout, au point où un invité, qui aurait bien aimé être dans l'ambiance lui aussi, s'informait où se trouvait le bar. On tombait de toutes parts. Un camion passait pour ramasser les indigents que les gardes entassaient dans la boîte pour les acheminer au trou puis dans leur cellule quand le trou fut saturé. "

"D'autres tombaient en pleine face sur le buffet préparé spécialement pour les invités. Dédé, un de mes amis qui avait une carrure d'haltérophile impressionnante, revenait de son entraînement. Il obstruait l'entrée de la salle de réception. Pour sortir, les invités devaient passer sous son bras en sueur. Par chance, il n'y a pas eu d'actes de violence. "

"Quant à moi, je devais dire quelques mots en ma qualité de président d'un groupe qui préconise l'abstinence. J'étais assis derrière, au dernier banc de la chapelle. Lorsque le curé m'interpellait, je me cachais, accroupi derrière le banc. Les invités se retournèrent pour me voir. Le curé, qui n'avait pas encore compris mon état, m'invitait avec insistance à le rejoindre en avant pour parler au nom des détenus devant toute l'assistance. Ivre et titubant, me voilà en avant à prêcher pour les détenus. Le directeur, témoin de la scène, s'est fâché et m'a fait enfermer au trou pendant deux semaines. "

"Et je me demandais pourquoi mon officier de classement ne voulait pas me recommander pour une nouvelle libération conditionnelle ! Le problème était pourtant simple à comprendre, je ne respectais pas la condition de ne pas boire. Selon les statistiques, je pouvais devenir un risque pour la société. En plus de ne pas reconnaître ma part de responsabilité, je me prenais pour une victime. Devant leur convention sociale, les gardiens ne sont pas là pour chouchouter les délinquants, mais pour les empêcher de nuire à la société coûte que coûte et administrer une sentence. Le job pour lequel ils sont payés c'est la protection de la société. La loi et la sécurité du public passent avant tout. Avant d'être un humain, un détenu est un criminel identifié par un numéro. Si un être humain ne respecte pas les lois, la conséquence exige donc réparation contre sa volonté. Il sera en dette envers le système qui ne pardonne pas. Il ne sera tranquille que lorsque sa facture sera payée.

Alors, devant cette réalité, si je voulais profiter des élargissements que le système propose, je devais marcher "les fesses serrées". Il n'était pas question de fournir des informations pour que l'on ferme les yeux sur mes propres écarts. Avec une telle mentalité, j'aurais dû me tenir peinard si je voulais qu'on me pardonne avant l'expiration de ma peine. D'autant plus que ma chance, on me l'avait déjà donnée. "

"J'étais fatigué de ressentir le vide et l'inutilité de ma propre vie. Je me suis mis à fréquenter l'école pour terminer mon secondaire et surtout pour m'occuper l'esprit. L'école est un des apports à la réhabilitation qu'offre les pénitenciers. "

"Au fil du temps, j'ai fini par me sentir mieux à l'intérieur des murs qu'en liberté. Je marchais à tous les soirs ; de grandes distances ainsi parcourues à tourner toujours en rond dans la grande cour. La chance d'avoir plein d'amis qui m'aimaient bien allégeait le fardeau de ma peine. Pourtant, je préférais m'isoler pour me permettre de réfléchir à la valeur de la vie. Parler contre l'un puis contre l'autre, critiquer sur la qualité des services offerts au bagne ou écouter pour la millième fois les histoires de "pen", j'en avais mon lot. Même l'ardent désir de la liberté perdait de son charme sous l'emprise de l'institutionnalisation. "

"J'ai fini mon secondaire en sachant au moins que rien n'arrête le temps. Le jour de ma libération approchait, l'horloge avançait toujours. L'espoir me tenait, celui de vivre en harmonie avec l'existence, de goûter à la saveur de la vie et d'en profiter au maximum. La liberté s'est offerte à moi avec toutes les misères à surmonter pour me tailler une place raisonnable dans la société. Mais la manie de dépenser comme un riche me collait à la peau alors que j'étais dans la dèche ! Quand l'argent me passait dans les mains, il me filait entre les doigts de façon hallucinante. J'ai quand même fini par bien vivre en peinant en double au travail. "

"J'avais environ trente-huit ans, je revoyais toujours ma femme Anne, mais il y avait un hic. Le fait était qu'elle tenait toujours la première place dans ma vie même si l'amour qu'elle avait eu pour moi était bel et bien mort. Le plaisir est revenu, l'argent coulait encore à flots et avec lui, plein d'amis autour de moi. J'étais le sauveur. Il me fallait leur reconnaissance. J'avais besoin de m'élever sur un piédestal pour que l'on m'aime, pour que l'on dépende de moi, pour ne plus être seul. Les promesses d'une vie pleine de gloire semblaient s'ouvrir devant moi, pourtant je me trompais. "

"J'étais devenu patron d'une compagnie de construction et, bien sûr, mes employés s'avéraient mes amis un peu malfrats. Un beau jour, un copain est venu m'offrir une magouille. Il m'a donc proposé de la drogue en me chantant les louanges de l'argent facile. Avoir le prestige de diriger une compagnie s'ajoutait au besoin de me faire aimer. J'ai fini par me laisser tenter, car la situation financière de ma compagnie se détériorait dans le tourbillon de la récession qui faisait rage au pays. Quand la soupe a été chaude, un autre de mes copains m'a présenté un agent double et je me suis fait prendre encore une fois. "

"Lors de l'arrestation, un policier m'a mis son revolver sous les yeux et quand j'ai vu le trou noir du canon, je me suis dit que ça pourrait être long cette fois. Les policiers m'ont fait coucher par terre en prenant soin de me donner des coups de pied dans les côtes, dans le but de me prouver leur sérieux. Arrivés au poste de police, l'interrogatoire débute. Ils voulaient savoir où je m'étais procuré cette drogue. Ils voulaient aussi des informations moyennant la promesse de me libérer. J'ai refusé. "

"Les deux policiers qui dirigeaient l'interrogatoire sont devenus agressifs. Ils m'ont battu pendant des heures : ils voulaient à tout prix retrouver la cache de la drogue. Plus ils frappaient sur moi, plus je me refermais. Un temps, j'ai bien cru que j'allais y laisser ma peau.

Quand les policiers se sont tannés, ils ont perdu les nerfs. Avec rage et déshonneur, ils m'ont roué de coups : coups de pied et coups de poing jusqu'à ce que je ne sois plus reconnaissable. Pas d'annuaire cette fois, car ils se foutaient de laisser des marques. Mais rien à faire, jamais je n'aurais cédé. La haine me supportait ! J'étais devenu un dur. "

"Devant mon mutisme, ils ont fait venir un spécialiste de l'interrogatoire : les mains larges, les yeux rouges, une cicatrice lui traversait le visage. Je voyais mon cercueil. Il me tabassait et menaçait de m'estropier. Il l'aurait fait, quand un événement m'a sauvé : un policier est entré, tout content, parce qu'il croyait avoir découvert le pot aux roses. Il a dit : "J'ai l'adresse. On part faire la fouille. "

"Ils ont mis un terme à l'interrogatoire à l'instant même. Ils m'ont remis au gardien de la prison annexée au poste de police, puis ils sont partis faire leur enquête. Les gardes de la préventive m'ont mis en isolement pour me permettre de récupérer, car j'avais vraiment mauvaise mine. "

"Il n'y avait rien à l'endroit où les policiers étaient partis faire leur fouille. Ils sont revenus et voulaient me récupérer pour reprendre l'interrogatoire. Les gardiens en service au centre

211

de prévention ont refusé de se rendre responsables de ce qui pouvait m'arriver. Ils ne m'ont pas remis entre les mains de la police. Par chance ! "

"J'étais un homme de quarante ans, blotti dans le coin d'un cachot, tremblant mais soulagé ; cette partie de mon cauchemar était terminée. "

*

"La drogue m'a, elle aussi, conduit vers les déchéances de la vie. Plus d'une fois je me suis ramassé couché dans les fossés, mal en point, défait. Un jour, la police m'a ramassé parce que je dormais au beau milieu du chemin. Même à quarante ans, je ne réalisais pas ma dépendance aux drogues. Je dépensais tout mon argent au point de me réveiller dans la rue à côtoyer les clochards. Les excès de boisson et de drogues, les batailles innombrables, les accidents à n'en plus finir et les mauvais coups ; j'étais atteint d'un mal inconnu : j'aimais la vie de travers. C'était **un cri de souffrance**, mais personne ne le comprenait. Tous croyaient à de la révolte alors que dans le fond, je criais au secours. Prisonnier de l'assuétude, je reproduisais toujours inconsciemment les mêmes schèmes. Outre la délinquance, j'étais devenu alcoolique et toxicomane actif : la boisson et la drogue dirigeaient ma vie et me sortaient de la réalité. Il m'en fallait toujours, encore et encore. "

"Après une attente d'environ deux ans dans une cage inconfortable, une nouvelle sentence de six ans m'a été signifiée. J'avais près de quarante-deux ans. "

"Le détenu en prévention avant la tenue du procès ou en attente de sentence jouit de beaucoup moins de privilèges que celui qui a déjà sa sentence. Certaines petites prisons ne disposent même d'aucune activité. La seule chose qu'on peut faire, c'est de s'asseoir dans un coin et attendre. C'est ainsi que j'ai dû attendre un transfert dans une cage de tôle de vingt pieds sur vingt pendant six mois : on m'y avait oublié ! Imaginons une dizaine de gars, parfois plus, qui partagent un petit espace où s'empilent les lits superposés, les matelas sur le plancher, les douches, la toilette et le lavabo, les tables et les bancs et un passage grillagé pour les gardes : il ne reste plus grand place pour circuler ! Quand on vous accorde une sortie dans la cour de plus de vingt minutes par trois jours, c'est la fête ! Pas de fenêtre, l'air y est suffocant en été, surtout la nuit quand on vous embarre dans la petite boîte de tôle qui sert de cellule. Quand on couche au deuxième avec, à six pouces du nez, une plaque de fer servant de plafond, il faut presque économiser l'air. Ce genre d'endroit se trouve bien dans notre pays mais passe inaperçu. Il y a plus de chances d'entendre critiquer à propos des "condos" neufs pour prisonniers que de voir dénoncer ces baraques désuètes et inhumaines. Comme s'il fallait bâtir du vieux pour les prisonniers ! Quand le phénomène de la surpopulation fait son effet, on ouvre des salles et on empile le monde. "

"Pour ce qui est de la facture, elle m'a été présentée très souvent et à travers ces adversités, le soutien de mes amis me manquait. Les vrais amis, dans ce monde interlope, c'est chose rare. J'ai pu le constater, car lors de mon séjour au bagne, je restais sans nouvelle. Même à l'intérieur des murs, les vraies relations de confiance se sont avérées rares. Comment faire complètement confiance ? J'en avais trop vu. Au bagne, la malice et la peur sont des ennemis fielleux plus forts que l'amitié dont il faut de préférence se méfier. Mes secrets les plus intimes, cela va de soi, je ne les aurais jamais confiés à personne."

*

La méfiance est-elle mère de la solitude ?

*

"J'avais un grand nombre d'amis, mais je ne leur aurais jamais confié un secret intime. La solitude me pesait même entouré de monde. Il y avait une thérapie qui se donnait à l'intérieur des murs. Mais les commérages véhiculaient dans l'air comme un murmure constant qui disait : ceux qui fréquentent ce genre de programme sont des "pas bons" ! Je me suis éloigné de ces qu'en-dira-t-on. Seul à tourner en rond, je mijotais un plan qui me permettrait de retrouver ma liberté le plus tôt possible. De plus, j'étais tanné d'être mené par les opinions des autres, tanné d'être incapable de m'exprimer, tanné de me battre, tanné de mettre les lunettes de l'injustice et tanné surtout de la solitude, alors je suis entré en thérapie. Au début, ce n'était que pour m'évader par la porte d'en avant, épargner quelques années sans liberté sans trop croire que l'on peut être heureux. Pour cela il me fallait cesser de consommer."

"Et j'ai réussi ! De peine et de misère j'ai cessé toute consommation. Comment douter que ce n'était que la pointe de l'iceberg qui se présentait devant mon cheminement ? Par chance, mon esprit d'homme déterminé m'a rendu capable de persévérer et d'aller au-delà de ma peur. Je ne savais pas m'exprimer adéquatement, mon image de dur était très forte et mon esprit était totalement fermé. C'est grâce à mon implication effrénée que les responsables de la thérapie ne m'ont pas expulsé. Je dois avouer que j'en ai bavé et dérangé plus d'un. "

"La routine de la thérapie a été chambardée à cause de mes attitudes : les gars n'arrêtaient pas de me reprendre. À tous les soirs, ils me confrontaient deux ou trois fois ; souvent, c'était tous les membres de la thérapie qui me reprenaient et je leur tenais tête. Je n'étais pas capable de dire correctement ce que je ressentais. Le visage rougi par la rage, je voulais les engloutir tous pour qu'ils disparaissent. Il m'a fallu cinq ou six mois pour arriver à composer avec les autres gars. Des confrontations spéciales, des menaces, rien n'y fit. Ils voulaient même m'obliger à quitter la thérapie et moi, obstiné, je leur tenais tête. Les gars ont fini par m'accepter et ils m'ont aidé. J'ai pu ainsi apprendre à m'exprimer à peu près convenablement. La thérapie durait neuf mois : ils m'ont gardé quatorze mois et il fallut rajouter à cela quelques années de psychothérapie. "

"À force de braver mes émotions, je prenais de l'assurance. Avec la thérapie, je me suis décidé à entreprendre des études en sciences humaines. J'ai complété un D.E.C., non sans misère, mais la patience de mes professeurs et ma persévérance m'ont finalement porté fruit. En classe, j'étais toujours en réaction à la moindre impertinence du professeur. Oui, je revenais vraiment de loin. "

"Il m'arrivait parfois de filer un mauvais coton. Un soir, quand la porte de ma cellule s'est fermée pour la nuit, je me suis endormi couché sur le dos. Soudain, sans prévenir, l'angoisse m'éveilla : une chaleur m'a envahi tout le corps et je suffoquais. Je me lève, empêtré de panique. J'ai peur d'être entraîné par le suicide. J'étouffe dans ce silence, seul, emmuré dans cette cage de ciment et de fer. Le désespoir me submerge. Je marche et je marche encore. Au matin, à l'ouverture des portes, je me suis habillé chaudement pour aller marcher dans la cour extérieure. Face au vent, j'ai fermé les yeux pour braver la tempête de janvier. Ainsi, il m'est venu l'espoir de survivre ! "

"En thérapie, j'ai fait partie de groupes qui me ramenaient à mes sentiments de base, enfouis sous des années de refoulements et d'échecs. Les jeux de rôle me faisaient revivre des expériences passées. Un beau jour, alors que je venais de raccrocher le téléphone après avoir parlé à mon fils, j'ai pour la première fois de ma vie éprouvé un sentiment véritable et non névrotique. "

*

Un de ces sentiments qui se perce un chemin et touche le vrai soi. Quand nous pouvons référer à ces émotions enfouies, elles nous guident vers la voie du bien-être.

"Je ressentais quelque chose pour mon fils. Je me suis enfermé dans ma cellule pour savourer ce moment. Une chaleur au coeur, oui, mais pour une fois elle était douce et je l'identifiais réellement."

"Cette expérience a été le début d'un long cheminement qui devait m'amener un jour à reconnaître mes émotions. Doucement, d'année en année, je me retrouvais, je revivais et j'ai aussi conservé mon intégrité. Je n'ai pas parlé de mes magouilles ni des personnes impliquées. "

"Un jour, après la thérapie, j'ai fait la rencontre d'un chercheur de l'université en réformes sociales. À son contact, j'avais l'impression d'être quelqu'un, une personne à part entière. Malgré tout ce cheminement, la solitude demeurait ma compagne. J'avais un but : me tenir occupé à m'instruire. Mais j'étais loin de vivre en paix avec moi-même. Les libérations conditionnelles m'ont accordé un élargissement, vers un minimum. C'est là qu'on m'a accordé la permission d'aller suivre des cours à l'université. Je croyais mon malheur terminé, loin de me douter de mon erreur."

"Je n'éprouvais d'aucune façon un sentiment d'appartenance à la société. Progressivement on me libéra : quatre mois de projets, sorties de jour pour mes cours et huit mois de transition. Quand je sortais de prison, j'avais l'habitude d'aller retrouver le monde interlope qui m'était familier. Par contre, je ne me sentais plus à mon aise à traîner dans les bars. Quand le cours finissait, tous allaient retrouver leurs proches ou leur petite vie, mais moi je me retrouvais seul, assis sur le bord du trottoir ; personne avec qui parler, pas de place où aller. J'attendais l'heure de la rentrée. "

"Lorsqu'on me libéra de la transition, ce fut l'épisode des sacs verts sur le coin d'une rue. Puis ma cousine m'a hébergé ; pour dormir, elle me prêta un coin de plancher et un petit matelas de "foam". Un soir, alors que je traînais dans une boîte de nuit, je me suis laissé tenter par la consommation. Me voilà seul au beau milieu de la nuit au centre-ville, gelé, pas un sou en poche. Il me fallait marcher quinze milles pour rentrer. Je me suis mis à avancer, cherchant les raccourcis. En passant entre deux maisons, je me suis fait très mal. En sautant une clôture de huit pieds en broche, je suis tombé sur le dos, tout cela pour aller plus vite. Fallait que ça passe ou que ça casse ! Étouffé bleu avec une cheville foulée, je marchais les fesses serrées lorsqu'une auto de patrouille est passée près de moi. Je suis rentré chez moi sans trop de casse aux petites heures du matin, la conscience pleine de remords. Combien de fois je me suis retrouvé ainsi au beau milieu de la nuit dans un état lamentable ! Et mon rendez-vous avec l'agent des libérations conditionnelles qui était prévu pour cette journée-là ! J'ai pu me laver et dormir quelques heures. Quand mon agent est arrivé, il n'a pas perçu l'inquiétude qui m'habitait. Par chance, ce n'était pas la journée du test d'urine, donc rien n'y paraissait. "

"Même après m'être bien juré du contraire, je suis retourné au club encore une fois. Une nouvelle rechute à mettre à mon palmarès, tout mon argent flambé dans la drogue et l'alcool. À la fermeture des bars, il ne me restait plus qu'à aller me coucher dans le fossé d'un parc jusqu'au matin. Quand le jour est arrivé, je me suis mis en route pour rentrer chez ma cousine. Je m'étais gardé un peu de sous cette fois-ci pour prendre le transport en commun. J'étais sale, plein de terre. La drogue ingurgitée avait été coupée avec un laxatif. C'était à l'heure où tout se réveille et où les gens se rendent au travail. La rame de métro était pleine. Le laxatif a fait effet. Quelle puanteur ! Les gens autour me narguaient en émettant des commentaires disgracieux. J'avais hâte de sortir de ce pétrin ! Les secondes me paraissaient des heures. La coke me foudroyait, mon esprit était saisi de paranoïa. Sitôt arrivé à la maison, j'ai pris une douche, lavé mon linge et je me suis glissé sur mon petit matelas me jurant encore une fois de ne plus recommencer. Les yeux grands ouverts encore sous l'effet du poison, je priais pour redevenir sobre, reprendre mes facultés, dormir un peu et me réveiller en pleine possession de mes moyens. Soudain le téléphone a sonné. C'était ma soeur qui m'annonçait la mort de maman, là-bas, dans la ville de mon enfance. Lina, pour le voyage, voulait me prendre en passant mais j'étais hors circuit, j'avais besoin de repos ; je ne voulais voir personne. Soudain, en fermant les yeux, ma mère m'apparaît pour me sommer de venir à son enterrement. C'était une apparition d'un réalisme déconcertant. Elle m'a dit d'un ton insistant : "Je ne t'ai jamais rien demandé, cette fois, je te somme de venir à mon enterrement..." Mes yeux se sont ouverts tout grands. J'ai téléphoné à ma soeur Lina... Durant le voyage, je percevais dans le ciel des êtres d'énergie comme si maman était accueillie par ses proches, comme dans un bal, comme dans une fête. J'ai cru la voir danser au bras de mon père. "

"La souffrance me rattrapait constamment et dirigeait ma vie. Sournoisement, elle reprenait toujours le dessus devant mon aveuglement. J'étais épuisé de vivre ainsi, car même parmi le monde, je me sentais à part, seul. Mon fils habitait le Nord, alors les Libérations m'ont accordé un transfert près de chez lui. Mais la coke était encore présente dans ma vie ; j'ai dilapidé l'argent de mon héritage. Je me suis même permis de faire un infarctus. Sitôt sorti de l'hôpital, je me suis retrouvé au petit matin sur un "down" de drogue, plein de remords, espérant survivre. "

"Un emploi m'a été offert comme thérapeute via mes études universitaires. J'ai saisi l'occasion. Mes méthodes thérapeutiques étaient trop directes. Certains en ont profité pour me faire licencier. Ils jugeaient mon passé et me parlaient constamment contre les études en sciences humaines que je faisais. Ils craignaient peut-être que je prenne leur place. Ce travail me passionnait ! Pour la première fois, je me sentais à ma place en ce monde. On aurait dit que la liberté ne voulait pas de moi : une vieille histoire de bris de condition a refait surface et on m'a retourné au pénitencier encore une fois. "

"Une vague de violence déferlait dans la prison où j'ai dû finir mon temps. Pas moyen de lever les yeux sans en voir un se faire tabasser. Quelqu'un de trop saoul pouvait tout casser dans la rangée, un autre, donner un coup de pied dans une porte, ça me faisait sursauter à tout coup. À travers un tel spectacle et de telles manières d'agir, il n'est pas aisé de percevoir l'humanité de ces hommes ! "

"Le temps, encore une fois, a fini par passer et le jour de ma libération, je me suis bien juré de ne plus rien faire qui puisse me ramener en prison. Quelques semaines plus tard, on me surprenait à consommer. Bris de condition, on le sait, égale retour en prison, finir le temps qui reste à faire. Près de huit ans avaient passé. Il ne restait plus que trois semaines à me rapporter. Je vivais en appartement avec mon fils depuis quelques années, quand je n'étais pas en tôle, bien sûr ! "

La consommation

"La drogue m'a amené sournoisement encore plus loin. Cette nouvelle rechute m'a pris par surprise ! J'ai recommencé à consommer un peu de drogue dure en me racontant des histoires à dormir debout. Dans le fond de moi-même, je ne voulais pas faire mes adieux de façon définitive à la consommation. Je me gardais des réserves pour éviter de ressentir la réalité, ma réalité dans toute sa nudité. La drogue m'enlevait toute inhibition et me permettait de vivre mes fantasmes. Ces scénarios dans ma tête représentaient l'ampleur de ma souffrance. "

"Comment aurais-je pu comprendre ? Toutes mes folies ressemblaient au schéma de ma détresse, mes déficiences expliquées par l'accumulation de mes apprentissages néfastes.

Une route vers laquelle les événements de ma vie m'avaient conduit. Ma décadence me liait à l'écran de mon esprit où le film imaginé ne prend jamais forme dans la réalité. Quand je consommais, presque instantanément mon âme quittait la rive de ma raison, emportée sans maîtrise aucune par le torrent du spectacle dans l'espoir qu'il se concrétise, par miracle. J'étais incapable de me sortir de l'écran pour me ramener dans la réalité. Je n'avais qu'un moyen pour m'en délivrer : il fallait que mes réserves de drogues soient épuisées, totalement. Ainsi le courant venait à manquer et alors, là seulement, la maîtrise de ma destinée me revenait. "

"Une fois, deux fois, dix fois, indomptable, je recommençais. Et à chaque fois je me disais : "Je vais en prendre juste un petit peu, je vais être raisonnable." Ça finissait aux petites heures du matin, seul dans une chambre de motel, en manque et sans le sous, désespéré. Les fantômes dans ma tête m'entendaient prendre toutes les résolutions du monde. Je commençais à en avoir assez de me retrouver dans de telles situations, surtout durant les années où mon fils se trouvait à ma charge. Sitôt la pente remontée, j'oubliais le désespoir où me plongeaient mes rechutes. Le stress s'emparait de moi, incontrôlable, et le besoin de la drogue m'envahissait à nouveau. Combien de fois mon vendeur de drogues a-t-il encaissé mes chèques de paye ! C'était toujours la même histoire : je prenais une petite dose et peu après, je ne me contenais plus. Résultat : seul dans une chambre, bourré de remords, paranoïaque, les yeux grands ouverts, incapable de dormir. "

"Était-ce cette incapacité de vivre seul avec moi-même ? Pourtant, dans mes moments de sobriété, je voyais des opportunités incroyables se présenter à moi. J'en suis venu à me cacher pour occulter mon problème de consommation. Les dettes s'accumulaient, les gens me fuyaient. Je ne pouvais même plus me fier à moi-même. Une fois de plus les portes de l'enfer s'ouvraient devant moi. Le désespoir absolu. Le "party" était devenu un cauchemar. La moindre difficulté me paraissait une montagne infranchissable. J'ai alors perdu la force de combattre. Pour un orgueilleux comme moi, il ne fallait surtout pas qu'on me sache désespéré. Une nouvelle thérapie m'a permis d'en apprendre encore un peu plus sur moi. Mais depuis ma dernière sortie de prison, d'autres charges avaient été levées contre moi. Un ami, pour se faire libérer de ses propres crimes, a donné des informations me concernant à la police. Résultat : le bagne. "

La route du pen

Écrire au ciel !
Étrange couleur
Qui se défile sous mes yeux !
Sur ma peau, je sens le vent
Il est froid mais pas trop
C'est l'hiver après tout.
Ce qui me surprend
Ce sont ces multiples cristaux
Qui déambulent dans l'air
Des diamants parfois si brillants.
Ces petits cristaux
Portent un léger manteau de neige
Sur leur dos.
Ces étoiles minuscules
Pourtant quand elles me touchent
Ne sont plus de glace.
Le point limite, le point zéro.
Le soleil qui de blanc fade
Perce les nuages sombres
N'est pas entier.
Car le nuage plus foncé de sa pointe
Subtilise au soleil une partie de lui-même
Qui le rend, à vrai dire, pas beau
Pour décrire la couleur de cette vision
Il faut aller un jour, dans cette prison
Être dans la cour toute petite
Là où les hauts murs de ciment
Sont coiffés de barbelés barbares

Faits de lames de rasoir
Pour bien contenir les trop hardis.
Dans un petit coin
Celui où à l'occasion le soleil vient nous chauffer
Quelques instants
On voit les airs.
Mais par une journée sombre comme celle-ci
On peut voir la couleur de ma tristesse.
Durant tous ces transferts
Dans une boîte de tôle
J'atterris finalement dans une cage en ciment
Joignant ainsi une quinzaine de codétenus.
Certains ont l'image gonflée à bloc
Les dents serrées
Prêts à mordre jusqu'au sang
Leurs émotions vraies
Enfouies en eux
Sont prisonnières d'un épais champ magnétique
Prêts à tuer, s'il le faut
D'autres gros comme des poux
Avec des mâchoires énormes
Crachent leur venin à saveur d'égout
D'autres brillants, certains cultivés
Même que j'en ai vus, calmes et simples.
Des Blancs, des Noirs, des Indiens, des Esquimaux,
des Arabes, des Colombiens, et autres
Comme s'il n'y avait plus rien en rapport à ce monde
On nous enlève nos chaînes qui ressemblent à celles
des galères antiques.

Une tranche de poulet pressé entre deux tranches de
pain et une galette.
Un gars qui panique, il se lance sur la porte de fer
Coup de pied, coup de poing, coup de tête
La souffrance est trop forte
Il ne peut plus se contenir.
Ce n'est plus lui qui contrôle son corps,
Mais c'est le désespoir.
Quelques âmes ternes émettent un commentaire
disgracieux
Il est parti pour l'isolement.
Une civière passe devant notre cachot
Le type y est allongé,
Inerte, la langue sortie, blanc comme la mort
Dans le journal du matin,
Je le revois classé dans la rubrique nécrologique:
Sa photo, vingt-quatre ans.
Certains détenus qui le connaissaient disent
Qu'on est resté sourd à sa souffrance,
Qu'on l'avait même molesté un peu
Justifiant force nécessaire.
Ce n'est pas la première fois
Que je vois un tel spectacle
D'un homme turbulent
Les gardes, qui ne savent pas détecter ce cri de
souffrance,
Ont perçu de la révolte.
Mais pour lui c'en était trop, il est parti.

"Nous écoutions un film à la télé communautaire. "Tout le monde en cellule pour le compte," de dire le haut-parleur. Des détenus me disent : "on va ressortir seulement après le souper, à six heures." Ça fait mal de se retrouver au pénitencier encore une fois. Perdre ce que je commençais à apprécier et surtout me séparer de mes amours ! Les affres de la désintoxication se faisaient ressentir par-dessus le marché. On ne m'avait pas permis d'être moi-même alors j'ai gelé mes émotions, je ne voulais pas les ressentir. "

"Vivre sobrement avec équilibre tiendra du miracle pour moi. Sortir de l'assuétude de la consommation de psychotropes exigera de moi efforts, patience et persévérance. Pour retrouver mon envol, je devrai fréquenter les mouvements qui préconisent l'abstinence, vivre le mode de vie qu'on présente et sans doute rechuter mille fois encore. Mais je persévère. C'est l'espace entre étouffer mes émotions et les vivre qui m'a semblé impossible. Le chemin qui va de la consommation à la sobriété peut se comparer à un espace que l'imagination n'arrive pas à mesurer. Il est habité de cellules interstitielles que l'on regarde par l'infini de l'intérieur, un espace sans fin, vide, glacial. Pour traverser cet espace infecté de virus qui semble plus grand que la distance entre deux galaxies, il faut subir les sept plaies d'Égypte, affronter les mêmes dieux qu'Ulysse et croire qu'on va mourir si on ne prend pas une nouvelle dose. Un voyage de solitude, de souffrance, de désespoir. Le manque de drogue est une route où les repères sont indéchiffrables et que l'on parcourt à tâtons, comme un aveugle. Elle est pleine d'embûches et d'événements tragiques qui font mal, stressent et perturbent ! Quand on a enlevé la couche d'énergie qui vous protège de vos émotions, on est à vif. La souffrance toute nue vécue à froid, on la vit vraiment, elle est intolérable. "

"Consommer ramène en arrière et recouvre les émotions d'un mur d'énergie impénétrable : on ne ressent plus rien. Quand le volcan entre en ébullition, l'apprivoiser n'est pas chose facile. Alors, la tentation dépasse souvent la volonté. Impuissant, je consomme boisson, drogue, sport, travail, intellectualisation excessive, etc., tout est bon pour ne pas ressentir. Sortir de cette roue infernale, oui, mais comment ? Tous les systèmes étaient bons pour essayer de me prendre en main : le modèle de la morale, de la maladie, de la responsabilité, la psychothérapie ou d'autres formes thérapeutiques, tout, pour être heureux et en paix avec moi-même ! J'en suis venu à me dire que je n'y arriverais jamais, impuissant devant la drogue : le stade du non-retour. "

"La souffrance dirigeait ma propre vie, m'ordonnait de consommer. À prendre des psychotropes, on peut s'enliser profondément. C'est ce qui m'est arrivé, prisonnier en dedans de moi : malheureux en liberté, malheureux en prison. Je me sentais incapable de m'intéresser réellement, d'aimer vraiment et surtout incapable de demander de l'aide. "

La rancoeur

"Il y a des moments où je me sentais agressif. En mémoire, il y avait l'abandon. Il y avait aussi les avocats et les juges qui m'ont condamné sous le couvert de la justice. Avec de l'argent, je m'en serais tiré à bien meilleur compte. Ironie du sort, je n'avais pas les quelques milliers de dollars à glisser sous la table. "

"À nourrir de telles pensées, je ne me sentais pas bien. Dans ce monde bordé de cellules le négatif m'avait profondément atteint. Il n'y avait que moi qui pouvait me sortir de cet état, mais cela me paraissait impossible. Je m'apitoyais sur mon sort, croyant fermement que je ne pourrais jamais pardonner. La rage et la haine m'envahissaient. Mais que faire ? La réalité est que je ressentais le manque d'amour. Une impression d'injustice m'accablait. Je m'étais enlisé dans cette pensée négative et je m'y enfonçais de plus en plus. Le bonheur, selon mes croyances, ce n'était pas pour moi. Je voulais me venger de tous ceux qui m'avaient blessé et de ceux que je croyais responsables de mon sort. J'étais de plus en plus malheureux. Tout ça jouait contre moi, bien sûr ! J'ai alors cherché à me défaire de cette sensation néfaste qui m'envahissait et qu'on nomme rancoeur. "

"À force de questionnements, de prières et d'invocations, un beau soir, alors que la lune transperçait les nuages et venait m'éclairer d'une lueur magique, tout devint plus clair. "

"Si je ne voulais pas avoir à vivre le restant de ma vie dans la souffrance, il me fallait apprendre à aimer. Je me suis décidé en me disant : "Je vais me concentrer sur les beautés de la vie et du monde ; finie pour moi la vision des injustices et du négatif ; finie l'histoire de me laisser atteindre par les défauts de notre système et des âmes ternes". J'ai confié les guides de ma vie à l'Éternel. Selon moi, ça en valait la peine. "

"Je n'avais plus aucun espoir d'être heureux. Il s'avère difficile de vieillir sans amour. J'étais tanné de porter le fardeau de l'affliction. Il me fallait penser à moi pour moi et pour le temps qu'il me restait à vivre, je me devais de viser le bonheur." J'ai cherché à ne plus mordre à l'os de la rage, de la rancoeur et de l'injustice. J'ai décidé d'apprendre à aimer et à me responsabiliser, en un mot, à me respecter. Mais ce n'est pas évident pour un gars comme moi : aveugle devant la vie, souffrant, centré sur moi-même et ne vivant que pour nourrir inconsciemment mes malaises."

"Un égocentrisme généreux qui achète l'amour, voilà le fondement qui soutenait ma personnalité."

"J'étais blessé au plus profond, j'avais un besoin démesuré d'amour. Comme un quêteux, je mendiais inconsciemment pour que l'on adoucisse ma souffrance. La charité pour un misérable orgueilleux. **Donnez-moi de l'amour que je criais en dedans, en silence.**"

*

Ce genre d'aumône ne court pas les rues. Gaby cherchait à l'extérieur du cœur sans comprendre, dans le monde, le chemin de la brise qui adoucit l'âme.

Même si le chemin du bonheur est en soi, il n'en demeure pas moins qu'il est très difficile à trouver à l'intérieur des murs d'une prison, privé de sa liberté.

Mal nécessaire ? Justice impitoyable !

Le monde laissé à son libre arbitre pourrait-il prendre une forme autre que celle de la dégénérescence et des chaos ?

*

"J'ai vu la froideur et les magouilles de certains "bons" qui gèrent l'autorité. J'ai si souvent subi leur névrose que je les croyais tous pareils. Ce monde m'apparaissait sombre à un point tel que je ne voyais aucune intérêt à changer mon mode de vie. Avec un peu plus de jugeote, j'aurais compris qu'il fallait me tenir loin de tout ça, loin des palais de justice froids comme de la glace, loin du monde des prisons où tout n'est que répression, violence et rancoeur. Le prisonnier est oppressé, privé de liberté et d'amour, privé de ses racines et de tout ce qui pourrait lui donner le goût d'autre chose. Si ça marche, c'est que ça fait peur, simplement ! Par contre, quand on voit de bonnes personnes qui veulent vraiment aider et font leur travail loyalement, apparaît le bon côté des choses ; ça fait mieux réfléchir à l'idée de filer droit. "

"Libre devant la féerie de la nature, je m'imagine mieux le chemin qui mène à la paix. "

"La plupart des détenus ne peuvent regarder la vie autrement qu'avec les yeux de leur malheur envenimés de solitude ; comment apprendre à se tenir loin de ce lieu cynique ? "

"Plus on me rejetait plus ça me faisait mal, alors plus j'espérais vaincre ce rejet. Chose bizarre, je me retrouvais constamment à répéter les mêmes "paterns". Mon inconscient me poussait devant le rejet et il me frappait droit au coeur. Mais je voulais coûte que coûte gagner mon combat : celui de combler mon manque d'amour. Je combattais constamment ce sentiment qui me vient du fond de mon enfance et qui me colle encore à la peau. Je m'élevais contre toutes injustices, même celles qui n'avaient aucune importance. Il ne fallait plus prendre ma place à tout prix ! Comme je croyais les gens capables de jugements néfastes, je prenais mes distances et vivais seul dans mon univers. Perdu dans mon monde, j'errais dans le néant de ma pensée. Je vivais entre le rêve de demain et le souvenir d'hier, jamais ici maintenant, dans mon présent. "

"Ce qui me reste à vivre, j'espère le vivre en paix avec moi-même, en paix avec le monde, en comprenant la responsabilité que j'ai dans mon cheminement et en accueillant les conséquences comme une expérience qui puisse me faire grandir. J'étais un bien piètre conducteur sur la route sociale. Le miroitement de l'argent facile me faisait croire qu'il était la solution à l'état d'être que je recherchais. Bâti comme je suis, je redouterai toujours les embûches. "

*

"Gaby a nourri longtemps l'idée de se plaindre de son sort. Centré sur son nombril où a grandi un feu déplaisant, un brasier ardent, il était grugé de l'intérieur comme si des milliers de fourmis le mordaient pour sortir de ses entrailles. Il était perturbé par en dedans, dans la région du plexus solaire, où se situe le cœur émotif. Et ça remontait jusque dans sa gorge. La raison de sa souffrance est qu'il ignorait que ce feu est de la vie. Il ne se retrouvait plus dans ses émotions et parfois oui, la vie est réellement douloureuse. Il ne distinguait plus la peine quand il en avait ; il ne l'identifiait plus.

En nous la vie peut susciter des émotions
Si grandes, si fragiles
Parfois si belles, parfois si dures
La vie se déroule normalement
Je me sens bien.
La joie m'entoure
Ça va bien
La peine m'entoure, c'est triste, ça va mal
Il y a plus
Un sentiment si pur, si dur
Tu n'en as pas le contrôle
Il s'empare de toi, il t'enlève tout pouvoir
Faible n'est pas le mot
Il te dirige vers la panique
Tu étouffes
T'as peur.
Tu le sais, s'il prend le dessus sur toi, c'est la mort
T'as besoin d'amour
T'as besoin des autres
Oh ! Ciel ouvre l'occasion
Invite-moi par l'entremise humaine
À jouer un peu
À ne plus être seul
Ne me laisse pas pénétrer dans cette souffrance
Je veux vivre
Simplement !
Qu'as-tu mon âme à défaillir ?

Quand un homme comme moi
Qui avait une soif démesurée d'amour
Se ramasse aux pieds de l'Enfer
Qui en plus s'est affaibli
À l'usage des âges
Renaît parfois un sentiment
Appelé souffrance
Je me dois de combattre
Pour ne pas y pénétrer
Car si je m'enlise en lui, je meurs.
Devant la solitude, j'agis.
Je lis, je cours, je parle, je joue
J'apprends, j'agis.
Je vais vers les autres
Devant l'espoir je crois
Qu'un jour
Je vais avoir la chance
De vous fréquenter
A nouveau
Car j'aime!

La route

"De mes cinquante ans, j'en ai passé près de vingt en prison. "

"Des réponses magiques aux questions de la vie, y en a-t-il vraiment ? C'est tellement unique un être humain, construit d'apprentissages multiples. Il devient difficile de saisir l'état d'âme dans lequel il se trouve. Se connaître, s'aimer, se respecter, c'est l'ouvrage de toute une vie. C'est la route qui, quand elle est terminée, donne accès au Ciel dit-on, un état où l'on pourrait se sentir bien à jamais. S'en sortir, pour moi, ce n'est pas la réussite sociale, c'est avant tout être bien dans sa peau et être heureux. Y en a-t-il plusieurs qui sont heureux continuellement, sans jamais avoir ni hauts, ni bas ?"

"J'ai étudié des façons de me comprendre et de m'améliorer depuis de nombreuses années. J'ai cessé depuis longtemps de compter mes rechutes. Je ne compte plus les fois où j'ai fui par orgueil, par peur du jugement, par inquiétude car j'avais failli à mes responsabilités et à ma sobriété. Combien de fois me suis-je senti inférieur, pas à ma place ! Combien de fois ai-je tourné autour du bas-fond, abstinent ou pas ? Combien de fois me suis-je réfugié dans le silence ? Jamais je n'ai pu sortir radicalement de mes marasmes comme certaines personnes. "

"Elle semble peut-être agréable, la route de mon voisin. Mais est-elle pour moi ? Me conduirait-elle au bonheur et à bon port ? La route des autres n'est pas pour moi. La mienne est unique et c'est en l'assumant que j'en découvrirai ses richesses. "

"Pour sortir de la souffrance, s'il y a un moyen, c'est sans doute celui d'apprendre à aimer le monde, à se mettre au service de la vie, à tendre la main au prochain. Tout le reste, j'y ai goûté : richesse, amour, gloire... "

"La gloire, le confort, l'aisance, la réussite matérielle et sociale et le pouvoir peuvent faire paraître heureux. Mais la vie que j'ai vécue m'a prouvé que tout ceci n'est que bonheur éphémère, hors de la réalité. Quand on ne possède pas le respect des autres, l'amour de son prochain, le pardon et la générosité, adieu le bien-être intérieur. Je cherchais le moyen de sortir du désespoir et d'évacuer mon malheur. Alors, j'ai confié les guides à ma spiritualité abstraite, un Dieu, un ciel rempli d'anges indéfinissables mais que je ressens. C'est de cette façon que la solitude m'a quitté. La paix me permet même de la savourer parfois. J'espère être protégé par ces anges. C'est ainsi que je passe à travers les moments difficiles de la vie. Quand les événements me dépassent, quand c'en est trop pour moi, je confie le dénouement de ma vie au Seigneur de la Vie. "

"Quand je nourris des idées égocentriques, je me bute à un chemin cahoteux ; quand je me ramène à une pensée généreuse, la route s'apaise."

"J'ai demandé l'aide de Dieu parce que je me voyais impuissant à trouver la route de mon bonheur. Même si la voie qu'il me propose me semble parfois difficile, l'expérience de ma vie me fait comprendre que ses méthodes étaient la recette dont j'avais besoin pour découvrir encore plus le bien-être de vivre. Les difficultés de la vie m'ont permis de vaincre les souffrances qui, autrement, seraient restées prisonnières en moi."

"Aujourd'hui, je suis bien dans ma peau. Je ne changerais pas de place avec personne. Ma vie, elle est à moi, elle est tout ce que j'ai... "

Une amie

Il y a des grands qui écrivent avec aisance
Je n'ai pas ce talent
Il y a des grands qui parlent bien
Je n'ai pas ce don
Alors simplement, je vous dis
Que dans mon rêve de vie
J'espère votre présence
Avec passion, j'en ai le désir
C'est vous et ce que je perçois en vous
Comme un mystère que je veux saisir
Je veux converser avec vous, comme une soif
Librement
Parce que j'aime être avec vous
Je veux vous connaître
Comme on explore une intrigue
En votre présence
Un état d'être resurgit
Merveilleux dans sa pureté
Comme si je voyais en vous
La présence de Dieu lui-même
Je remercie le destin
D'avoir forcé ma route vers la prison
Me permettant ainsi de vous croiser
Sur le chemin de la vie

"Bref, jour après jour, j'ai réussi à mettre ma rancoeur à la poubelle. Un matin, quand la porte de ma cellule s'est ouverte, je sentais en moi bouillonner la rancune comme un acide corrosif. Au lieu de nourrir cette sensation toute la journée, ma pensée s'est tournée vers ceux envers qui j'avais du ressentiment, pour essayer de comprendre ce qu'ils vivaient : eux aussi ont leur cheminement à faire et leur propre désespoir à surmonter. Est-ce ce qu'on appelle compassion ? "

"Toujours est-il que je me sens mieux à compatir pour leurs souffrances qui parfois m'éclaboussent. J'offre mes journées à la vie et je passe ainsi de très beaux moments, même en prison. De plus, en autant que je peux, je n'essaie plus de me mesurer à un autre dans un esprit de supériorité ou d'apitoiement. J'ai fait plusieurs sentences et chaque fois je les ai faites en portant ma propre misère. "

Mon fils

"Avec mon fils, ça va bien. Il a ses petites affaires, ses amis(es), sa petite vie quoi. Nous sommes deux bons copains. J'essaie de le guider du mieux que je peux et souvent c'est lui qui me guide. Mon fils prend beaucoup plus de place dans mon coeur qu'il en a pris dans ce récit. C'est maintenant que je commence à le connaître, et il a déjà vingt-deux ans. "

"Je regarde aujourd'hui ce fils qui a eu droit à un père absent et à une mère courageuse seule, aux prises avec son désespoir, sans travail, le petit à nourrir, à éduquer. Quand il était plus jeune, mon garçon est devenu malade au point où les médecins l'avaient condamné. J'avais demandé conseil à un ami. Il m'a dit : "Je n'ai pas de réponse pour toi, mais va le voir et tu vas trouver la solution. Tu es son père ! "

"Il avait environ sept ans lorsqu'il s'est retrouvé à l'hôpital. J'ai été le voir à tous les jours. Mon enfant a fini par reprendre confiance en moi jusqu'à m'accepter tel que j'étais, c'est-à-dire un peu dépeigné ! Alors que sa mère se trouvait en visite en même temps que moi, je dis soudain à mon fils : "Tu sais que je sais ce que tu as." Et le voilà qui éclate en sanglots. J'ai eu la chance d'être à son écoute quand mon garçon avait dit durant sa crise : "Pourquoi m'avez-vous fait ça ?" J'ai compris soudain qu'il se rendait malade parce qu'il ne se sentait pas aimé à cause de notre séparation. Même les médecins ne voyaient pas cette autodestruction ; il se rendait malade lui-même car il souffrait. Il aurait pu en mourir ! Je me suis occupé de lui. Je lui ai fait quelques tours de magie pour lui faire croire que je le débarrassais de son mal. Quelques jours après, il était de retour chez lui, guéri ; il avait retrouvé un père en qui il avait confiance. Elle est pourtant évidente l'erreur sociale. On doit donner aux jeunes une attention telle que, se sentant aimés sans condition, ils puissent avoir confiance en eux et se respecter. Comment pourraient-ils transmettre à leurs enfants ce qu'ils ignorent eux-mêmes ? "

L'INTÉGRATION SOCIALE

"Jour de ma libération. Jour béni et combien attendu ! Je me retrouve à l'extérieur des murs. Je les regarde depuis le balcon de la société, là où l'on attend le taxi qui nous mènera à la maison, quand il vous en reste une ! S'éloigner de cet endroit au plus vite, respirer un peu d'air ! Courir ou voler, les pieds ont peine à toucher le sol. Plaisir enivrant... Fantastique ce bonheur d'être libre ! Je me suis ramassé dans un petit café près du terminus en attente de l'autobus qui allait me conduire vers ceux que j'aime. Pour moi tout était délice : le café, qui n'a rien à voir avec l'eau de vaisselle du pénitencier, était exquis. Une fille était assise à l'entrée du café, belle comme tout. Une autre tout aussi belle me sert mon café. Une troisième fait son entrée : des filles, de vraies filles. La vie reprenait déjà... Précieux sentiment de liberté, et cette fois, je me propose bien de le conserver. "

"On était au coeur de l'été, il faisait beau. Le soleil brillait jusque dans mon coeur. Arrivé à destination, mon fils m'accueille. Un "hug" et nous voilà rêvant d'un petit pique-nique sur une plage. À la fin, ça finit par un hamburger froid près du cimetière où mes parents sont enterrés. Je suis pensif, je réfléchis. Je le sais bien que des pièges, il va y en avoir. "

"J'ai habité chez mon fils, je couchais par terre dans le salon dans l'attente que la vie soit favorable à mon intégration. Il ne se passe pas deux mois pour que je me rende à l'évidence : il n'y a pas que les murs de la prison, il y a aussi celui de la société. Je le sentais devant moi, je pouvais presque y toucher. C'est un mur d'énergie subtile qui protège la société et qui empêche ceux qui en ont été rejetés d'y revenir : ils y sont comme des intrus. Au début, j'avais un peu d'argent que je m'étais ramassé en économisant la paye que l'on se mérite en prison lorsqu'on travaille (environ 10% du salaire minimum). Il ne m'a pas fallu grand temps pour que ce petit pécule s'épuise. L'inquiétude me reprend, je vis de l'insécurité. En allant à un rendez-vous pour un possible travail, je remarque un type, en auto, arrêté à une lumière rouge et qui se grattait le toupet. Plus loin sur la piste cyclable, une famille faisait du patin à roues alignées : les parents se querellaient et les enfants essayaient du mieux qu'ils pouvaient de les suivre. J'arrive au joyau de la ville, ce lac corrompu comme jamais. À mon rendez-vous, une dame m'accueille avec un grand sourire comme si elle m'aimait depuis toujours. Un sourire appris qui se transforme instantanément en un regard sévère lorsque la règle l'exige. J'ai commencé alors à chercher de l'aide. "

"Les portes de la société sont fermées plus solidement que celles du pénitencier. Quand je contactais un agent pour de l'aide ou une subvention, je faisais face à toutes sortes de difficultés, surtout des préjugés implicites. Mon passé garant de mon présent ne valait pas grand chose ! C'est vrai, je ne suis plus crédible et pour cause. Parfois, je parlais à des agents et j'avais l'impression qu'ils ne m'entendaient pas. Encadré par le système ? Et le budget à offrir n'est pas illimité... "

"Votre agent va vous rappeler, de me dire la machine qui me répond. Mais où, quand, comment ? Je n'avais pas de téléphone. J'en suis venu à croire que la situation était sans issue pour les gens qui se trouvent dans ce genre de situation. J'habite, en plus, dans une région où l'économie est à son plus bas. Me trouver un emploi convenable ? Bonne chance mon gars ! "

"Tout ça fait partie de ma réalité, je ne suis sûrement pas le premier ex-détenu à rencontrer ce genre de difficultés à sa sortie. Donc, dans l'attente que les choses changent, la question devient : Comment vais-je protéger ma liberté ? "

"Et cela me ramène à moi-même. Il y a le fou qui veut aller trop vite, il y a aussi le malade émotif en manque d'amour qui veut refaire surface, sans oublier mes déviances, mes valeurs et mes défauts de caractère. Et les copains qui me laissent croire qu'ils vont m'aider. Bien sûr, ils m'offrent une alternative mais j'aurais à risquer ma liberté dans des magouilles payantes. Puis il y a l'autre partie de moi qui me permet de faire attention au peu d'argent que je reçois, de vivre selon mes moyens et de ralentir à une vitesse qui me permette enfin de regarder la vie. Au début, je croyais impossible de vivre avec un minimum d'argent jusqu'à ce que je perde la manie de consommer ce qu'en réalité je ne pouvais pas me permettre. Un appartement qui viendrait gruger tout le chèque que je reçois, je ne peux pas me l'offrir. "

*

Élémentaire mon cher Gaby !

*

"Mais il fallait m'en rendre compte et avoir de la persévérance. Pour l'instant, je dois me contenter d'un endroit simple si je veux avoir assez de nourriture pour le mois. "

"Simplicité involontaire ? Plutôt simplicité obligatoire, réalité qui me permet d'éviter le retour au bagne. Je l'avoue, ce n'est pas chose facile pour moi, je crois même que ce n'est pas simple pour personne. "

"Ce qui m'aide, c'est que je ne ressens plus le besoin d'acheter l'amour. J'apprends à dire *non* et surtout à faire attention à mon tempérament orgueilleux et mes névroses, parce que je ne suis plus libre si j'y succombe. Il faut choisir entre les barreaux de la prison et les limites de ma liberté. "

"Même si je me sens bien, il y a la réalité : quand je pédale à bicyclette dans le froid humide, les mains gelées sur les guidons et que soudainement surgit un orage, ma tendance à croire en l'argent facile veut refaire surface. "

"J'ai toujours eu un tempérament irréfléchi. Quand j'avais de l'argent, il me brûlait les doigts. Il me faut maintenant devenir modeste, me contenter de peu, tout en contenant mon agressivité dans mes interrelations. Ce dernier point mérite d'y prêter une attention particulière. Les émotions négatives et la rancoeur qui habitent mon coeur de bagnard auraient le goût de refaire surface dans certaines situations ou avec certaines personnes que je ne porte pas dans mon coeur. Il faut que je respire par le nez quand cela m'arrive. Si je leur lance en pleine face les bêtises que j'aimerais bien leur dire juste pour les embêter, ça ne prendrait pas grand temps pour jouer contre moi. C'est pourquoi j'essaie de calmer le petit gars fâché en moi. "

"Une vie simple demande parfois d'être un peu seul, mais en fait je ne suis pas si seul que ça. Ma petite vie se meuble tranquillement de belles relations, de beaux projets, de belles bébelles et c'est beaucoup mieux que le désespoir de me retrouver en tôle. "

"Quand je m'éveille au matin, frissonnant, je regarde le soleil percer de ses rayons brillants la brume qui rôde sur la rivière. Les étoiles se sont couchées et le vert lumineux des arbres me rappelle à la vie. Un héron me guette de toute sa hauteur et je contemple les ronds dans l'eau des poissons affamés ! "

"L'inquiétude de ceux que j'aime et la chaleur de leur coeur remplissent doucement mon besoin d'amour. Oui, la crainte de finir mes jours en prison m'habite encore. Le ciel est si bleu ! Moi, si faible ! Et les murs d'un bagne, si hauts... "

"On entend souvent des gens dire : "Aime-toi en premier". Pour ma part, ce n'est pas si simple que ça, ce fameux "moi en premier" qui n'ose pas dire "**non**", de peur d'être critiqué. "

"Tous mes déboires se résument dans ce besoin démesuré d'amour et démontrent bien que mon plus grand problème pour survivre en société est sans conteste moi-même. Je me suis construit une personnalité pour me permettre de survivre, car je n'étais pas habile à être moi-même. Si je me laisse aller à ma deuxième personnalité, celle du petit Gaby blessé et névrosé, je suis encore une fois sur le point de me perdre dans des chemins douloureux. Mon affection cérébrale est liée à mes états émotifs et à mes apprentissages. Il ne faut pas que je néglige ces points si je veux avoir une vie remplie de charme. Par ce chemin, je me suis découvert et je me suis bâti ma propre identité. Je ne suis pas une brebis, je suis un homme qui pense. Et magiquement, j'ai trouvé la paix... "

J'aime quand, accoudé,
Penché sur le bord d'un lac
Regardant l'eau noire où le ciel se déverse
Les nuages conversent avec moi.
Par les dessins que j'y vois.
Entouré de boisés, loin des barbelés
J'aime être libre.
Vous êtes maintenant plus riche d'une belle histoire,
Moi, en quête de tendresse.

Je me suis levé, midi cognant à la porte. Quant à Gaby, il était parti demander aux anges de lui permettre de vivre encore un peu. Cette Terre qu'il aimait tant lui manquerait. Son cancer lui signalait son transfert pour le paradis. Sur la table, il y avait ce mot :

"Je persiste à croire, mon ami, que la première pulsion humaine est d'aller vers un monde meilleur. "

"Dans le ciel sans fin, j'imagine la mort comme un voyage vers un autre monde à découvrir, semblable au voyage de cette vie sur la Terre, une expérience pour grandir. Quand on pense à l'immensité du ciel, aux planètes innombrables, à leurs galaxies, nous voudrions revivre de nombreuses fois sur chaque îlot du cosmos. "

"Je crois que l'on a tous une place au ciel. J'espère la mienne. Je pense que les difficultés de l'existence terrestre servent à nous préparer pour ce grand voyage. "

"Je refuse de croire que la mort représente le néant. J'espère être un voyageur de l'infini. Je sens les esprits qui voguent dans l'éden et je rejette l'idée de ne croire en rien. Ainsi j'ai la chance de ne pas avoir le coeur aigri. "

"Sommes-nous les acteurs d'un vaste dessein céleste programmé d'avance dans lequel un rôle nous y est attribué ? Cette planète est-elle une prison du ciel ? Avons-nous failli aux lois célestes ? Y sommes-nous jetés pour expérimenter nos misères, grandir et retourner dans le vaste Éden ? Ou sommes-nous seulement des bêtes en évolution ? Que de grandes questions à la veille du grand sommeil ! Et chaque rôle devient-il essentiel à la bonne marche de l'humanité ? Avons-nous une mission dans la vie ? Au cinéma, il y a plein d'acteurs utilisés pour faire un film mais ils ne sont pas tous des acteurs principaux. Sans les petits rôles, le film serait pauvre. "

*

Et, qui sait ? Parfois Dieu se permet de faire des surprises. Ça arrive, il paraîtrait ! Après tout, Gaby a trouvé son chemin de paix. Il ne lui reste plus qu'à espérer le pardon de ceux qu'il a blessés, ne plus retourner vers le malheur et marcher dans la vie sous le regard de l'amour.

Qu'il lui soit permis de rester encore un peu ou qu'il parte, qu'importe ? Gaby avait trouvé son chemin de paix... Et l'**Amour** !

Il paraîtrait qu'on l'aurait vue à son bras : heureuse et les yeux tout brillants, Gaby lui souriait.

Gaby m'avait aussi laissé un document que j'annexe à la fin de ce roman : il renseigne sur certains aspects du monde carcéral.

FIN

Renseignement sur le propos des prisons au Canada :

Les gens de la misère

Dans les prisons, les vrais méchants en réalité sont plutôt rares. On y retrouve des personnes blessés, des jeunes de la rue, des délinquants de toutes sortes, mais qui en fait ne sont que des êtres humains.

La justice

Il n'est pas aisé de saisir les principes de la justice sociale, car on vit à l'âge de pierre dans ce domaine. Partons du principe que l'homme descend de la bête et qu'au cours des temps, il s'est humanisé de plus en plus en tendant vers la perfection. En justice pénale, règne le principe de protection sociale qui emploie la loi du talion : œil pour œil, dent pour dent ; punition, vengeance pour le dédommagement. Comme l'argent est convoité par les hommes, et si on a de quoi payer, on peut hélas s'acheter une justice plus clémente, de préférence quand notre cause n'a pas fait trop de bruit. On est devant une simple réalité de notre temps. Le brillant prend la place du cœur. On se croirait sous l'emprise de deux justices, l'une hiérarchique et clémente, l'autre dure et froide pour les plus démunis. Ou simplement, ne comprend-on pas la souffrance ?

Ces gens qui endossent le principe de la violence sociale pour accomplir la justice n'ont simplement pas compris l'ampleur de la misère. Savent-ils vraiment ? Ont-ils eu l'opportunité d'y toucher ou de la côtoyer ? S'ils comprenaient, ils viendraient en aide et ce monde ne serait pas si froidement juste. Ils vivraient sur cette terre avec un but agréable : espérer enrichir le trésor du ciel.

*

L'opinion générale est que les détenus sont bien en prison, mais la réalité est que personne ne veut y aller. Ça fait peur, ça fait réfléchir et ça en tranquillise plus d'un. Ça paraît bien beau d'être pris en charge par la société et de profiter de ses institutions, mais ce n'est pas si simple que ça. Il n'y a pas seulement la perte de la liberté et l'isolation qui vous remettent devant votre désespoir, il y a tout ce qui se passe dans les prisons, un lieu d'enfer. Même si on humanise un peu les conditions d'incarcération, ce n'est pas vrai que l'on a plus de chances d'y être heureux : vous vivez dans un cachot, jusqu'à la fin de la punition ; vous vivez entouré de gens malheureux, habité par des sentiments de rancœur et de désespoir. Le jugement des autres est l'option de plusieurs, certains sont violents, d'autres frustrés, etc. Une routine sans fin : impossible de prendre une marche la nuit, car vous êtes embarré dans votre cellule et souvent, après un certain temps, vous pouvez devenir claustrophobe ou vous ne dormez plus. La même nourriture au menu, peu d'intimité, souvent deux dans une cellule très petite. Si vous n'aimez pas votre "coloc" ou s'il ronfle, endurez-le. S'il est égoïste ou malpropre, endurez-le aussi.

Bien sûr, il y a aussi de ça en société, ce n'est pas si facile. Mais, il y a une chose en prison qui fait que l'on veut s'en sortir plus que tout : les prisons représentent le drapeau de la honte de notre humanité. Le taux de suicide, de violence et de folie y est parmi les plus hauts. Comment peut-on penser que l'on est bien sans la liberté ? La prison, dure et froide, s'oppose au commandement d'aimer son prochain. Empêcher les délinquants de refaire du mal pour protéger la société, c'est une chose, mais régresser dans notre humanité en est une autre. On dirait que ça change, mais pas vite : il y a deux cents ans, on mettait quelqu'un au cachot et on l'oubliait là ; deux siècles plus tard, certaines histoires ne sont pas très différentes ! Il ne faut pas oublier que ces hommes enfermés ont été enfants et adolescents.

Quand notre équilibre émotif est perturbé et qu'on reçoit une éducation d'un parent névrosé ou absent, on a souvent les émotions troublées et on risque de devenir névrosé à son tour... Quand vous voulez être vous-même et qu'on vous répète que vous n'êtes pas correct, vous utilisez, pour vous développer, des moyens détournés comme l'hypocrisie ou la manipulation afin d'obtenir ce que vous désirez. Si vous pleurez et que vous vous faites réprimander parce que vous avez de la peine, si on vous oblige à être joyeux quand vous êtes triste, si vous vous faites critiquer pour des riens, on vous empêche d'être vous-même. Si on vous violente de quelque manière que ce soit pour vous corriger, vous pouvez vous perdre à cause de l'abus.

Quand, enfant, vous avez un comportement qui plaît aux autres mais qui vous déplaît, quand vous voulez quelque chose pour combler vos désirs et que cela est trop souvent refusé, vous en venez à agir avec des bases de données qui n'ont aucun lien avec votre vraie personnalité.

Si vous vous faites mal, que vous pleurez et que l'on vous chicane au lieu de vous consoler, peut-être percevrez-vous que dans ces cas-là, il ne faut pas pleurer, il faut sourire ou s'étouffer. À force de multiples exemples de ce genre, il se pourrait que vous ne vous sentiez pas aimé pour ce que vous êtes et que vous développiez des moyens de défense inconscients qui ne sont plus de votre vraie nature.

On dira alors que vous avez le choix, mais c'est votre être névrosé qui agit et qui prend les décisions ; ainsi, le vrai choix devient biaisé. Si on ajoute à cet état les expériences néfastes de l'adolescence et de l'âge adulte, avouons que le choix devient embrouillé.

Un jeune trouve l'acceptation dans un gang en ville : il suit leurs normes, ils le dirigent vers la délinquance. Il prendra l'habitude d'agir selon la volonté des autres pour attirer l'amour. Quand des membres de son gang lui proposeront un coup, il ne pourra refuser. Si je dis non, on me rejette et je me retrouve seul sans amour, voilà la réflexion qui biaise le choix. Puis avant de parler de choix éclairé, il faut comprendre la nature de la souffrance et ne pas la comparer avec les données de ceux qui réussissent bien. Quand la société nous rejette, qu'elle nous enferme en nous laissant croire que nous sommes des bandits ou des ratés et qu'en même temps elle nous demande d'être droits, il y a là une incongruité flagrante dans le domaine des apprentissages.

Les émotions d'un enfant peuvent être perturbées par l'éducation inadéquate reçue de gens inexpérimentés.

Si vous vous faites dévaloriser un peu trop quand vous êtes jeune et que vous avez l'impression de ne pas être aimé pour ce que vous êtes, vous accumulez plus de souffrance que d'amour. Puis quand le sentiment de rejet est plus grand que celui d'être aimé, la seule chose pour laquelle vous agissez, c'est votre souffrance. Tout gravite autour de ce noyau. Comment pouvez-vous alors aimer vraiment, comment pouvez-vous sortir de vous-même ?

Le choix

Pour bien décider et choisir, on doit se référer à ses émotions en partant, bien sûr, du principe que la personne vient au monde avec le potentiel d'être bon et équilibré. Si vous recevez de l'extérieur des informations qui mélangent vos émotions, vous devenez alors troublé et vous perdez contact avec votre vraie personnalité. Vous ne touchez plus vraiment à ce que vous faites, l'écran de la névrose brouille le contact entre la réalité et les perceptions que vous en faites. Pour donc faire un choix sensé, il faut un esprit éclairé et un état émotionnel équilibré.

Les vieux paradigmes

Les femmes veulent partager le pouvoir avec les hommes prétendant avoir été abusées et violentées dans le passé. Ça, c'est la partie décevante du comportement mâle. Mais il faut garder en mémoire que dans le passé, il y a eu aussi des dames qui ont abusé de leur pouvoir. De plus, il n'y a pas eu que des atrocités : citons la chevalerie comme exemple. Quand un bateau coulait, les femmes et les enfants d'abord, disait-on. Et que dire du romantisme ? La réalité au temps de la colonisation se voulait une réalité d'hommes pourvoyeurs et de femmes au foyer. Les femmes ont été sous-payées, abusées par des hommes autoritaires et souvent violents ; c'est vrai que le patriarcat avait ses névrosés et ses injustices. Mais les hommes de sens sont solidaires à la cause des femmes et l'ont toujours été.

Que penser des classes supérieures qui abusent des classes inférieures sans égard au sexe ?

Les préjudices dépourvus d'humanité abondent dans ce monde et nous délaissons souvent la mission fondamentale.

Prenons l'exemple d'une cour de justice : lors d'un duel d'avocats, cherche-t-on une justice juste, humaine et équitable ? L'avocat de la poursuite essaie par tous les moyens de prouver la culpabilité de l'accusé devant un défendeur. Il veut gagner sa cause : condamner l'accusé le plus sévèrement possible. Le procès commence toujours par les mots : "je vais vous démontrer que l'accusé ici présent est coupable" et la défense dit le contraire. On ne dit pas souvent : "on va essayer de découvrir la vérité, comprendre et aider." C'est le plus convaincant qui gagne à force d'arguments. Quand vient le temps d'émettre une sentence, c'est le jeu des relations qui commence. Vous pouvez avoir commis un crime très grave et obtenir une sentence plus douce comparativement à un pauvre misérable qui n'a que dérangé un peu. Qui est le mieux en vue ? Qui a le plus d'argent à offrir sous la table ? Voilà un des grands vices de quelques-uns d'entre ceux qui ont pour mandat de gérer notre justice.

Les femmes passent pour faibles et les hommes sont les forts : on a enfin réussi à ébranler ces idées patriarcales ! Peut-être arriverons-nous un jour à ébranler l'idée qu'il faut punir pour guérir. Peut-être arriverons-nous à comprendre qu'un délinquant n'est pas nécessairement un pestiféré !

Il y a des femmes et des hommes qui vivent de grandes difficultés comparativement à celles d'hommes et de femmes bien nantis. Bien qu'il ne faut pas mettre de côté l'idée que ce n'est pas toujours si rose dans la cour du voisin, il est sans doute bon de se rappeler qu'on peut aimer le bon et le beau sans s'y perdre. La misère humaine et le goût du pouvoir sont les grands responsables des peines de l'humanité. Il nous faut donc faire plus d'efforts pour contrer la misère et la pauvreté dans le monde sans égard au sexe et aux classes. Il faut s'unir tous ensemble contre la souffrance là où elle se trouve. Puis, pense-t-on vraiment régler les problèmes en employant des techniques répressives de contrôle social abusif qui souvent ont le goût amer de la vengeance ?

Le mal de toute société dépend de ses abus de consommation, de pouvoir ou de cruauté et autres me disait un jour une dame.

Pour corriger nos lacunes sociales on utilise l'intimidation, la terreur, la violence, la prison et ça marche. Il suffit d'ouvrir le téléviseur pour voir aux nouvelles des hommes en uniforme de police armés de grands bâtons frapper sur les gens. La terreur calme mais elle brise l'être humain. Est-ce que c'est vraiment une façon élogieuse de chérir notre humanité ? Il y a une vieille cassette qui habite notre cerveau et qui répète sans cesse qu'il faut punir pour guérir ; ceci nous provient de l'éducation de base. Qui de nous n'a pas été puni quand il était petit, ne serait-ce que pour les conséquences de nos choix ?

Dans les prisons, la majorité des détenus sont issus de la misère. Pour se protéger, on les tasse simplement en les traitant de méchants. On pourrait en surprendre plus d'un en affirmant qu'un détenu est capable de compassion, de bonté. Il est aussi capable d'aimer, de pardonner, de comprendre, de donner ses opinions et même d'analyser et d'être sensible ! C'est un être humain qui a dérogé à certaines règles. Quand on punit un crime, c'est pour faire peur. C'est une attitude dissuasive appliquée par le système. On sait très bien que même si on torturait le coupable à n'en plus finir, on ne peut revenir en arrière pour défaire ce qu'il a fait. La justice montre sa force en condamnant un bon nombre de gens. La majorité des gens s'offusquent à l'idée qu'un criminel doit être traité avec humanité. N'allez surtout pas croire que je ne suis pas sensibilisé devant le sort des victimes en croyant à une justice plus douce et réparatrice. Je serais très mal placé pour parler au nom des victimes. Ce que je sais, par contre, c'est que je me sens mieux dans le pardon que dans la rancoeur, tout en admettant que de telles idéologies ne sont pas facile.

Dans les années dix-neuf cent, si on avait parlé au nom des femmes comme on le fait aujourd'hui, dans un esprit d'égalité et de liberté tel qu'on le connaît de nos jours, ça n'aurait pas passé. Aussi profondément ancrée est l'idée de la société qui ne croit pas au potentiel constructif des détenus.

Nos vieux paradigmes sont difficiles à ébranler ! Comment donc va-t-on concevoir l'idée de s'humaniser quand il s'agit des délinquants ?

La prison est avant tout une question politique et d'opinion publique ; une question de sous, d'emplois et de protection sociale. C'est ce qui permet aux citoyens de dormir en sécurité et de se sentir protégés.

Si l'on veut s'améliorer, comme société, il faut voir ce que l'on est : mais ce n'est pas toujours facile de se regarder dans un miroir, et quel miroir ? Car les miroirs qui refléteraient notre vrai portrait social ne se vendent pas à la quincaillerie. Quant aux nouvelles, ce miroir qui reflète notre société, elles tendent à aimer les sensations. Quand on punit un délinquant et que tout autour, on est là à applaudir et à se réjouir, je me demande que vaut cette pensée qui se complait dans la misère des autres et dans une vengeance protectrice.

Certains qui n'ont pas leur part d'amour et de tendresse vont la chercher avec violence, coûte que coûte. Puis voilà les journaux remplis de crimes crapuleux. Les juges condamnent avec une froideur surprenante et ceux qui héritent du cachot nous dégoûtent à jamais. La prison est un outil qui glace le sang et fait régner l'ordre avec très peu d'égards pour la personne. On ne prendra pas la chance d'être clément sous un régime de protection sociale. On dira que l'acte est l'homme.

Un programme spécifique d'aide aux familles serait le bienvenu. Une meilleure éducation familiale de base, un plus grand respect de l'enfant, des valeurs humaines appropriées et une discipline équilibrée seraient bénéfiques. Les statistiques démontrent qu'une éducation équilibrée donnée par des parents normaux permet aux enfants de mieux s'en sortir. En pourcentage, ce sont ces enfants qui géreront le mieux leurs relations et leur vie.

Si l'éducation inadéquate peut former un délinquant, elle peut aussi former des hommes "honnêtes" au coeur froid. Peut-être qu'un jour on verra apparaître une politique qui viendra soutenir les parents au coeur de l'éducation, de la famille, pour en faire un monde meilleur.

La prison

Il y a deux types de prisons au Canada : il y a les prisons provinciales (appelées prisons communes) et les prisons fédérales (appelées pénitenciers ou "pen"). L'historique des prisons nous vient de l'Antiquité et leurs réformes physiques et administratives ont pour modèles certaines prisons d'Europe et des États-Unis qui ont pris naissance au dix-huitième siècle. Ce n'est pourtant que vers les années mille neuf cent soixante-dix qu'on peut voir, au Québec du moins, une certaine réforme plus humaniste. Pour ce qui est des prisons communes, bien qu'elles aient une architecture souvent différente et un mode de gestion plus ou moins ouvert, leur but est de gérer un espace temps pour la protection de la société.

Pourtant, les questions d'actualité posées par les esprits humains seraient : La prison est-elle devenue un problème social, est-elle vraiment l'école du crime ? Pouvons-nous faire mieux devant les principes d'une nouvelle justice à venir ?

Les prisonniers occupent le dernier rang, au niveau hiérarchique social. Ce sont des numéros (Matricule 006947, présentez-vous au rapport). Les prisonniers sont des méchants qu'il faut punir, réformer, réhabiliter, réadapter et le châtiment se solde par des années de prison à purger. Pour ce qui est de la prison commune, elle gère les sentences de moins de deux ans et les gens en attente de procès. Ces derniers attendent pour passer à la cour. La décision fera d'eux un coupable ou un innocent. S'il est innocent, il est libéré ; s'il est coupable, il devra purger sa sentence et si celle-ci est de deux ans et plus, c'est le fédéral qui va gérer son temps. La destination sera le "pen".

La prison commune, bien qu'on s'attende au contraire, est beaucoup plus moche que le pénitencier. Les espaces vitaux y sont plus restreints et les activités moindres. Dans la prison commune, la vie tourne autour d'une salle. Combien d'heures ne sont-ils pas assis dans un coin à attendre que les secondes passent, pour en arriver à la fin du jour à se dire : "une autre de finie" ! Une partie de cartes, une émission à la télé et la marche de long en large dans une pièce qui ne permet que quelques pas ! L'espoir d'un amour qui meublerait la solitude, l'attente d'une nouvelle et le rêve, un monde imaginaire ! La conversation se limite aux projets de sortie et aux expériences du passé. Il arrive que ça fait plus de vingt fois qu'il la raconte celle-là ! Pourtant on l'écoutera en pensant à autre chose, pour lui plaire, pour se sentir moins seul. Vous l'écouteriez, parce que vous fréquenteriez la même souffrance que lui. Parce que vous auriez développé une complicité. En tôle, vous vivez dans le passé et le futur, pour ne pas sentir le présent de votre réalité, cette blessure ouverte en votre âme. Avec le peu d'habileté à s'intéresser à autre chose qu'à votre manque intérieur, comment vivre votre présent, comment vous intéresser à quelque chose d'autre que ce sentiment affligeant ?

En tôle, vous n'avez pas de responsabilités, vous n'avez pas à vous forcer

273

pour vous nourrir ou vous loger ; vous avez juste à penser et vous avez tout le temps pour le faire. Vous vous retrouvez seul avec vous-même et la souffrance tient la première place. Vous avez la chance de retrouver le monde de la liberté mais souvent le délinquant la sabote. Pourquoi ? Parce qu'en théorie, il continue à courir après ce qui lui a manqué durant son enfance, ne comprenant pas que tout ceci appartient au passé. Son sentiment d'avoir manqué d'amour ou son traumatisme, il ne sait pas en faire le deuil ou les gérer. Il néglige de se protéger contre les situations qui le ramènent comme une hantise à son passé pour nourrir sa souffrance. En fuyant, il reproduit les situations qui l'ont mis dans le pétrin, le principe du plaisir perpétuel et des relations qui lui indiquent le chemin de la prison .

Les gardes sont dans une "cage" à part et ils vous surveillent en suivant à la lettre le règlement, certains sans aucun discernement. La règle est celle qui est prête à punir au moindre soupçon. Pourquoi donc se remettre en question ? Quand ils étaient petits, ils ont souvent eu une image parentale autoritaire, disciplinée et punitive. Voilà leur base de données : ce sont eux qui ont la vérité. Remettre en question leur façon d'agir s'avère difficile. Ils sont les serviteurs du système. Et ils n'ont pas toujours le goût d'améliorer les choses. Comment pourrait-on éduquer autrement ? Ils ont assez de leurs problèmes personnels et familiaux. Ils gagnent leur vie en obéissant aux ordres.

Quand il est nouveau dans le système, l'officier veut changer le monde, mais ce n'est pas long qu'il sombre dans l'influence des vieilles habitudes. Il se décourage devant l'ampleur du problème et les barrières qui séparent ces deux mondes. Lui aussi, comme les détenus d'ailleurs, finira par s'institutionnaliser. Avant tout, le garde travaille pour la société, pour le système carcéral. Il peut être du genre avant-gardiste, croire à une possibilité de réhabilitation, mais il sera quand même sujet à la règle et prêt à l'appliquer si elle suggère d'utiliser la force. L'utilisera-t-il dans les limites des besoins de la cause ? Certains iront jusqu'à la violence, mais pas tous.

Pour ceux qui interprètent la loi, cet abus de violence se nomme force nécessaire ou méthode de travail. Puis, il y a les détenus qui souvent ne veulent rien savoir. Il y a aussi ceux qui sont très perturbés et qui se croient victimes du système. En bout de ligne, ce sont tous des êtres humains qui aimeraient bien boire un peu de bonheur mais ils auraient sans doute besoin d'apprendre comment.

Quand le bonheur est passé dans leur vie, plusieurs n'ont peut-être pas su l'apprivoiser à petite dose pour le garder comme un trésor tout près de leur coeur.

Curieusement, le temps en prison commune semble être plus long, car la distance qui vous sépare de la liberté est moindre : vous êtes moins occupé, vous pensez plus à votre vie sociale, car ça fait moins longtemps que vous l'avez quittée. Vous ne savez pas encore que la vie ne sera plus jamais pareille, que votre passé est mort. Parfois, un amour y survit, mais rarement !

Au pénitencier c'est différent. Bien que le poids de la sentence semble parfois au-dessus de vos forces, le temps défile plus vite. Vous dites adieu à votre passé, c'est un système de défense qui, comme par magie, vient refouler vos souvenirs. Vous le savez, votre passé ne sera jamais autre chose qu'un espoir inassouvi. Vous quittez votre ancienne vie et vous réalisez au bout de quelque temps que vous faites partie intégrante du système.

La liberté vous manque mais vous créez votre propre routine. Vous vous y installez et le temps passe. Puis l'extérieur s'éloigne et c'est là que certains s'enlisent pour le reste de leur vie. Vous vous sentez en sécurité, loin du monde libre, loin de cette jungle qui vous semble inaccessible, qui vous semble un lieu dangereux. Vous en venez à vous sentir protégé par les barbelés qui vous entourent. Et, il y a ceux qui ne s'y feront jamais. Ceux aussi qui aimeraient voir grandir leur enfant mais n'en auront pas la chance.

Vous savez très bien que vous ne pourrez jamais aimer librement dans cet endroit. Vous vous souvenez des beaux jours et cet espoir de vivre un jour libre et heureux vous tient.

Au pénitencier, il y a les activités religieuses et les groupes d'entraide auxquels on peut participer. Ceux-ci sont appuyés par des bénévoles de l'extérieur qui viennent soutenir. Le détenu, celui qui est resté seul, face à lui-même, trouve un peu d'attention. On peut aussi compter sur les sports, les lieux d'exercice, la télé, la radio, une bouilloire pour le café, un travail ou les études. Souvent, l'intérêt se tournera davantage vers un petit joint, une cigarette, de la boisson frelatée ou une machine à tatouage. Mais là ne vous y faites pas prendre...

La dure réalité d'être un prisonnier vous frappe en plein cœur et vous rappelle que ce qui vous entoure n'a pas de chaleur. Les barbelés sont là qui vous font garder à l'esprit les risques d'une évasion. Vous savez que vous serez embarré dans votre cellule vide et froide pour la nuit ; vous savez que vous allez regagner votre cage à la moindre alerte, car on doit vérifier si tout le monde est présent. Vous gardez toujours en mémoire que vous devez vous soumettre à l'autorité et à l'humeur de votre gardien et que vous ne devez pas vous fâcher. Vous devez vous souvenir constamment de la discipline. La routine maussade vous entoure, jour après jour, semaine après semaine, année après année, sans avoir de passion saine. Chaque soir, vous regardez s'il y a du courrier pour vous, sachant très bien que tous vos amis de l'extérieur vous ont laissé tomber, car ils ont assez des préoccupations de leur propre vie. Tout est là pour vous rappeler que vous êtes un prisonnier, que vous n'êtes pas libre, que vous ne servez à rien, que vous êtes bêtement en punition.

Pour saisir vraiment l'effet de la prison sur un délinquant, il faut savoir reconnaître son état d'âme. Il faut connaître ses aptitudes, ses habiletés, comprendre ses intérêts et ses motivations. Il faut savoir comprendre la culture de son niveau social et ses racines. Quand un être humain souffre, où donc est son intérêt ? Quand vous êtes habité par la rancoeur et la frustration, avez-vous le goût de participer, de vous intéresser, de vous impliquer ? Quand un être est oppressé, le message ne passe pas. Quand un humain est rejeté, qu'est-ce que ça cause comme émotion ? Aura-t-il les idées et l'habileté à faire ce qu'il faut pour améliorer son sort et se faire accepter en société ou simplement la rejettera-t-il à son tour comme il a été jeté en prison ?

C'est illusoire de croire qu'un tel individu va pouvoir développer des attitudes pour filer plus droit qu'un citoyen avisé à le faire. Pourtant c'est ce qu'on lui demande d'être, un citoyen parfait qui, comme par miracle, aurait vu la lumière et serait guéri instantanément sans avoir eu à en développer aucune habileté. La prison est érigée sur un modèle dissuasif qui ne peut être une source d'apprentissage saine, capable d'éveiller l'intérêt des délinquants.

Il y a des possibilités de vous divertir en prison et de suivre des programmes pour vous donner de meilleurs outils ; par contre, le chemin pour y parvenir ressemble à une jungle qu'il vous faut traverser tant au niveau émotif, relationnel que physique. Au point de vue physique, la première étape à passer est celle du centre de réception ; on nous évalue pour déterminer votre nouvelle sécurité, car au pénitencier fédéral il existe différents niveaux de sécurité.

Le fédéral dispose de sept niveaux de sécurité. Si vous prenez la mauvaise route, c'est le super maximum qui vous attend : un endroit où les privilèges sont presque nuls. Le détenu est gardé à vue, dans des conditions de privation extrême. Oubliez les sorties et les divertissements. Tout se joue dans une pièce et les privilèges se gagnent un par un. Vous avez toujours droit à une vingtaine de minutes de marche par jour quand les autorités respectent ce règlement. Dans un maximum, bien que les conditions soient souvent précaires, tout se déroule relativement bien : il y a plusieurs activités, comme celles que l'on peut retrouver dans l'histoire de ce roman. La sécurité y est intensive : à la moindre alerte, elle se resserre, pouvant même être répressive et jusqu'à aller à l'extrême : les gaz, la violence, l'isolement, l'humiliation, les coupures de privilèges, et cetera. Les degrés de sécurité baissent si vous avez été un bon garçon. Les institutions à sécurité médium fort sont souvent turbulentes, surtout quand la tension monte. Les médiums à sécurité faible sont plus vivables ainsi que les prisons à sécurité minimale.

Au plan relationnel, un détenu qui suit un cheminement dans le sens de la réhabilitation est mal vu par ses pairs. Il a peur d'être agressé et jugé. C'est ainsi qu'il doit se réfugier derrière un masque. De plus, une fois libéré, on aurait tendance à croire que la société ne laisse au délinquant qui veut bien gagner sa vie que le marché noir. Avec un casier judiciaire, beaucoup de portes se referment au plan du travail.

On demande aux délinquants de se responsabiliser. Les autorités ne peuvent pas comprendre que ces derniers n'ont pas accès aussi simplement à ce mode de vie ; ils n'ont pas été habitués en ce sens. Je ne veux pas excuser le crime par mon discours sur la pauvreté et l'enfance difficile, mais je conteste la prison. La prison n'éduque pratiquement pas, la prison renferme, enlise et oppresse. La prison coûte de gros sous aux contribuables et tout n'y est que superficiel, car rien ne motive autant que la possibilité de sortir au plus tôt.

La prison n'est qu'un arrêt d'agir pour un temps. La prison nécessite une réforme humaine.

Aujourd'hui, on ne brûle plus les sorcières, d'accord, mais que fait-on à l'âme des détenus ? La prison est un problème social même si elle est efficace au point de vue de la sécurité ; elle ternit l'image de l'intelligence humaine et coûte cher. Un être humain qui dérange, on le tasse. Il entre dans un moule et ressort à l'autre bout, égaré et perdu.

Depuis trente ans, la prison a évolué au plan humain et cependant beaucoup reste à faire !

Je ne discerne plus le bon du mauvais dans ça, je ne retrouve plus la bonne voie. Il y a une différence entre se croire humain et l'être quand nous sommes guidés par un modèle punitif. Quand le mot justice veut dire châtier dans notre coeur, je cherche l'amour dans ça et je ne le reconnais pas. Il y en a qui vont penser : c'est bien beau d'avoir de la compassion pour le malheur d'un bandit mais on ne peut pas laisser un criminel en liberté ! Un citoyen, pour l'exigence sociale, aura sans doute raison de s'opposer aux forces destructives de la criminalité. C'est que je ne suis pas convaincu que l'oppression, pour faire valoir l'équité, est une arme efficace qui défend adéquatement la société pour en faire un monde meilleur.

C'est de cette façon qu'on est rendu incapable de faire la différence entre "la justice" et "ce qui est juste" ; incapable surtout de faire la différence de ce qui se fait et ce que l'on devrait vraiment faire pour gérer la problématique de la délinquance. Toujours dans l'optique d'un monde qui tend vers une humanité meilleure, la justice se voudrait-elle plus efficace dans un esprit de réparation et de réhabilitation ? Un système moins dispendieux, plus humain, efficace et qui favorise les libérations prématurées ; c'est à y penser !

La violence

En prison, la réputation que l'on projette de soi est un facteur important. Il sert à la survie même. Ajoutez à cela le grand désir d'être aimé coûte que coûte, la nausée du rejet, la peur de la solitude et des agressions, on comprendra l'importance de ce facteur pour se sentir reconnu par nos pairs.

L'opinion que les autres détenus véhiculent à votre sujet peut vous coûter cher. Il n'en tiendra qu'à un fil pour que votre réputation soit ternie et que l'on veuille vous démolir. En prison, c'est à tous les jours qu'on assiste à des passages à tabac qui conduisent souvent au coma quand ce n'est pas quelqu'un qui se fait piquer (poignarder). Un simple soupçon d'un manque aux normes informelles et voilà que l'on peut vous rejeter, vous insulter, vous narguer ou vous agresser. Pourtant... n'y aurait-il pas matière à réflexion ?

Les conséquences peuvent venir aussi des autorités qui, à la moindre altercation, utilisent la répression : trou, coupure de privilège, temps plein ou transfert dans une prison à sécurité maximale.

Certains sont faibles, d'autres sont forts. Plusieurs affirmeront aussi qu'ils n'ont pas de petites bêtes noires à cacher, qu'ils sont blancs comme neige. L'image est une question de survie en prison.

Certains prisonniers en oppresseront un autre qui a commis un crime mal vu. La loi du bagne se précise, inflexiblement. Veut-elle se donner une bonne image devant la société qui, elle, les a jetés en prison ? Il y a des crimes qui fâchent plus que d'autres face à notre système de valeurs et de ce fait, font exploser la colère.

La violence dans les prisons semble donner raison à la société quand elle se protège. L'influence des groupes et la peur peuvent mener loin et ce n'est pas toujours dans la bonne direction. Pour se faire reconnaître, aimer ou craindre, il y en a prêts à tout.

Y aurait-il des détenus qui sont aveuglés par leurs désordres émotifs ? Les études laissent croire que les détenus sont souvent issus d'une éducation inadéquate au plan des valeurs sociales et familiales. Les statistiques appuient l'idée qu'à la maison, plusieurs ont eu un exemple de parents qui usaient de violence de toutes sortes : émotive, verbale, physique, psychologique, quand ils n'étaient pas simplement rejetés, abandonnés ou laissés seuls à eux-mêmes.

La critique et la dévalorisation seraient souvent très imprégnées dans ce genre de personnage à en croire les experts. Ce qui découle de ces apprentissages laisse souvent à désirer au point de vue responsabilité sociale. On peut donc penser que plusieurs détenus sont perturbés au niveau comportemental ; ce qui ne fait pas nécessairement d'eux des méchants !

Certains sont enfoncés dans un trou noir, non motivés, souvent désespérés n'entrevoyant pas d'autre alternative que de vivre ainsi. Ce mal qui les habite tient peut-être de la rancœur qu'ils nourrissent contre la tendresse ou l'amour qui leur a fait défaut.

On ne leur a pas permis d'être. Perdus en eux, laissés seuls à leur sort, sans amour, ni compassion ; vides de bonheur, de paix, d'amour, de tendresse, de chaleur humaine, la lumière des yeux qui ne brille pas, le sourire du cœur qui ne chante pas, le calme ne les habite pas. Démontrant les blessures de son âme, l'un clamera haut et fort des propos médiocres, voulant se faire encourager, se croyant justifié d'évacuer par sa bouche des propos qui parfois ressemblent à du mépris. D'autres sont prêts à lyncher un autre codétenu au moindre soupçon, comme si la prison ne suffisait pas.

S'ils s'y mettaient en toute solidarité, s'ils utilisaient leur esprit brillant et s'instruisaient, il y aurait sans doute déjà bien des lunes qu'ils auraient ébranlé ces murs qui accablent. Il y aurait peut-être un autre spectacle à savourer que celui que nous voyons en tôle présentement. C'est à croire que, désillusionnés, ils n'ont pas autre chose à quoi s'accrocher que d'être un bagnard bien en vue, d'où ils tiennent un sentiment de fierté.

Quand on cesse de regarder les scènes décevantes commises par certains détenus, on voit des hommes de cœur, des êtres humains qui portent de très belles couleurs en eux. Prêts à aider, à partager, à s'unir dans l'amitié, ils s'encouragent et s'entraident dans la misère, remplis de qualités humaines. Pourquoi ne leur donnerions-nous pas la chance d'être heureux et libres ? Pourquoi ne les aiderions-nous pas à y parvenir ? Moi, je me dis que les prisonniers sont des humains qui habitent en enfer.

On les prend pour des virus, on croit qu'ils ne peuvent pas changer. Ils ont pourtant besoin qu'on leur tienne la main pour qu'ils puissent se relever et reprendre leur place sur le chemin de la liberté et du bonheur.

Il nous faut prendre conscience de la froideur qui règne dans les pénitenciers. Sachez aussi qu'un état émotif perturbé ayant pour cause un sentiment de rejet, la haine, la rage perpétuelle, la frustration ou le désespoir, ce n'est pas drôle à vivre.

On se demandera pourquoi ils récidivent ? Pourquoi ne retiennent-ils pas la leçon ? La société ne comprend pas leur manque d'habiletés qui les reconduit en situation de récidive. Comment fermer les yeux devant le déséquilibre émotif de ces hommes poursuivis par le malheur, fragiles aux influences négatives ? À cause de cet état d'âme, ils sont des proies faciles. Comment bien se situer et ne pas s'égarer sans aide ? L'aide qu'ils reçoivent, c'est leur sentence ! Avec un dossier, quelle place leur reste-t-il dans la société, en comprenant bien sûr qu'il y a d'autres problèmes sociaux importants à gérer ?

Éviter l'engrenage de la récidive, ce n'est pas si simple. Le mode de vie délinquant fait tellement miroiter la vie facile, la solution magique à la sécurité financière et aux plaisirs. C'est subtil, sournois, tentant comme du miel que l'on met sur du pain chaud, puis, c'est souvent le seul chemin qu'ils connaissent.

Avec le risque de perdre sa liberté et de se voir séparé de ses proches pour des valeurs matérielles, de faire mal à ceux qui les aiment en se retrouvant en tôle pour des valeurs souvent futiles : c'est ce que j'appelle s'oublier soi-même et ceux que l'on aime ! Les amis, quand vous allez sortir du bagne, n'auront pas beaucoup de temps à vous accorder et plusieurs auront le regard plutôt froid. Et combien d'autres situations et circonstances qui font mal devant les conséquences de la délinquance, j'appelle ça une maladie : ne pas discerner et ne pas être sensible aux émotions qui vous permettent de vous protéger devant le phénomène de la délinquance et de l'incarcération.

J'ai l'air de faire la morale mais le risque de perdre ma liberté me concerne aussi, moi tout particulièrement. Ce milieu qui attire avec force comme un aimant, je n'en suis pas à l'abri. Vous savez, quand on a faim ou froid, qu'on est ou se sent seul, on ignore tout du reste !

Quand une personne a des désirs luxueux jusqu'à la manie, qu'un besoin de drogue tourmente ou le besoin de bien paraître obsède, et quand on ne voit pas d'autre alternative que le monde illicite pour s'en sortir, quel espace de libre choix reste-t-il ? Avouons que ce n'est pas si simple que ça. Plusieurs ont dû faire de très grands efforts pour se tailler une place viable.

Comment se fait-il que le remords ne semble pas les accabler se demandera-t-on ?

Quand quelqu'un a étouffé ses émotions au point de ne plus rien ressentir et qu'il est plongé dans la souffrance, comment voir ailleurs ? Quand on est condamné à la tôle, ça punit, ça fait mal, ça augmente la souffrance de "l'ego", ça ne l'apaise pas. Pour être sensible aux autres, il faut pouvoir ressentir adéquatement.

Ce n'est pas la majorité des détenus qui sont atteints de la rage, mais l'idéologie dominante qui hante les prisons est tyrannisante. Cette mentalité informelle qui mène la barque aurait grand besoin, j'ai l'impression, d'être rafraîchie. Une psychologie du groupe est ainsi faite qu'on adhérera à tel mouvement de pensée pour plaire ou par peur du groupe. Souvent, quand on fouille dans son propre cœur, on sait très bien que les valeurs auxquelles on croit ne font pas partie de cette idéologie dominante, la loi du talion. Les actions liées à cette philosophie brutale ne sont pas *nous*, pourtant plusieurs y adhèrent. On embarque dans le bateau et la folie nous prend...

Puis, tout ceci ne veut pas dire qu'un honnête citoyen est bon et qu'un travailleur, un gestionnaire, un politicien, un professionnel ou un dirigeant soit dans le bon chemin. Si on est laissé à l'égoïsme, l'avarice, la possession, l'orgueil, la soif de pouvoir et le prestige, l'insensibilité ou combien d'autres vices, il vaudrait peut-être mieux avoir la chance de se faire réveiller par l'adversité et voir le chemin d'un esprit éclairé de l'amour humain.

Je m'éveille à peine à la vie. C'est un don extraordinaire du ciel de m'avoir permis d'entrevoir la misère humaine et j'espère sortir de mes cachots de l'âme.

Sachez aussi que la qualité de l'humanité peut être habitée par un sentiment de complaisance quand un de leur semblable subit un châtiment prescrit par la loi. Ceci tient pour un grand nombre d'hommes qui se croient les bons. Se satisfaire du malheur d'un malheureux qui a commis un crime, c'est se contenter de la vengeance. Cela serait-il glorieux ? L'humanité toute entière aurait-elle avantage à réviser ses positions face à l'oppression et à la violence ? Sans s'en apercevoir, elle se livre elle-même à des passions médiocres. Lors d'un génocide, on suit le mouvement de groupe. Femmes et enfants sont assassinés, des villages décimés au grand complet dans le but d'anéantir des races. Ceux qui y participent ne font parfois que suivre le mouvement ou les ordres. C'est comme un raz-de-marée, rien ne peut l'arrêter. C'est un crime pourtant horrible, mais justifié, commis par des gens qui se croient bons et pensent avoir raison. Quelle couleur a l'âme de cette philosophie ?

Quand on jetait les chrétiens aux lions, c'était la même chose : les bons avait comme cirque une arène à lions avec des chrétiens à bouffer pour les divertir. Faut le faire ! Mais c'est encore un phénomène de groupe où la masse captive d'une vague puissante s'est fait entraîner dans ces désastres humains. Hier comme aujourd'hui, plusieurs les approuvent, les justifient et souvent s'en réjouissent. C'est à croire qu'on n'a rien compris au message que nous a livré le Seigneur. On a fusillé des gens, on en a pendu sur les places publiques. Toutes ces tueries, ce sont des êtres humains qui les ont perpétrées, qui leur ont prêté attention et qui les ont approuvées. Même si on mérite l'enfer pour avoir adhéré à de tels actes, on se sent bon, pas concernés, ni coupables. On justifie par la justice. Pourrions-nous voir apparaître un jour des valeurs plus douces ?

Tout est justifié et notre société moderne n'y échappe pas : pollution, abattage d'animaux, destruction écologique, répression, génocides, guerres, sexisme, matérialisme excessif, violence, etc. Des actes noirs, de tels phénomènes de groupe inacceptables qui dirigent la masse, il y en a partout et à toutes les époques.

En prison, les détenus se sentent haïs par la société et les gardiens. On leur demande d'être bons, d'être honnêtes alors qu'on leur projette des exemples de répression, de punitions, de rejets, de haine et parfois de violence. C'est dur d'apprendre à aimer avec ce qui découle de ce genre de perceptions. C'est avec cette arme, la prison, que l'on espère corriger sans trop croire que l'on peut aider. Je ne crois pas que ce soit en cherchant la preuve qu'un prisonnier est méchant qu'on va s'améliorer.

Pour les esprits rebelles, la prison offre comme modèle l'escouade tactique ou le commissaire oppresseur capable de refuser la libération d'un détenu avec une froideur surprenante. L'isolation est leur arme de prédilection et elle est cruelle : je l'ai rencontrée, elle gruge à petit feu, elle ne se lasse jamais, elle imprime dans l'âme le désespoir de la solitude pour celui qui aurait bien plus besoin de présence et d'amour. C'est l'arme qui protège et punit.

À l'intérieur des murs, arrive par les médias l'image d'une société avide de pouvoir, violente, malade qui abuse de la planète. Comme si on voyait Satan travaillant à l'intérieur de notre humanité pour satisfaire son rêve le plus cher, détruire l'univers, surtout la vie. On voit aussi un ensemble chaotique qui s'expose à faire souffrir ses semblables par ses façons de faire. Puis, on sait aussi que pour plusieurs de ceux qui oppressent, ils ont été juste chanceux de ne pas être passés à la même place que le condamné. Réussir socialement ne veut pas dire nécessairement réussir sa vie, n'est-ce pas ?

C'est quoi être un délinquant ? Bien sûr, c'est une personne qui n'a pas respecté les lois. Les lois sont les conventions sociales qui tendent à vouloir protéger le plus grand nombre.

Un criminel est donc quelqu'un qui a commis une infraction au code des lois. Souvent, les lois sont influencées par la morale, l'acte immoral commis n'est pas une bonne chose pour la société ; on est d'accord avec ce principe. Un criminel est donc un méchant. Or, ceux qui commettent des actes immoraux qui ne sont pas assujettis par les lois ne sont pas méchants. Que pouvons-nous déduire d'un tel raisonnement ?

Dans tout ceci je ne veux pas dire que la société ne doit pas être protégée. Si on laisse tout le monde voler, tuer ou violer tout le monde, etc., on s'abêtirait sans fin ; ce ne serait plus vivable sur cette planète. Tout comme l'art, les humains peuvent évoluer. Aidons-les !

Pour mieux comprendre ce qu'est un criminel, prenons comme principe de base que la criminalité, pour plusieurs, est une maladie issue des émotions et des apprentissages ou des circonstances. Il y aura ici de la redondance dans certains de ces propos mais pour explorer le côté plus technique de la criminalité, il est avantageux pour mieux m'expliquer de formuler à nouveau certains propos.

Jeune, un délinquant se perd en lui-même, à cause de l'éducation qu'il a reçue, du sentiment d'avoir manqué d'amour, de la relation avec ses pairs. En grandissant, s'il commet des actes de contestation ou s'il est agressif envers son entourage, il est ainsi classé comme ayant un potentiel déviant. Souvent, on est porté à laisser croire qu'un jeune qui a une conduite rébarbative n'a pas de raisons, parce qu'on ne voudra pas admettre qu'on lui a fait subir notre névrose. Avec l'agir, ses habitudes rébarbatives s'étendront au-delà de l'entourage immédiat de sa famille : l'école et le réseau social sera son champ expérimental. Un professeur un peu trop critique, un policier zélé viendra renforcer le comportement de ce jeune perturbateur. Mouton noir à la maison, turbulent à l'école et voyou dans la rue, voilà les titres dont il héritera. Ceci s'envenimera jusqu'à devenir un vrai champ de bataille, sans que personne ne réalise l'importance de mettre fin aux hostilités. La réaction devant le besoin d'amour de ce jeune ne sera comprise de personne. Voilà notre jeune engagé dans la rébellion et on se fera un devoir de lui faire la guerre.

Le voilà qui dérogera à la loi jusqu'à devenir bandit aux yeux de plusieurs et surtout pour la société. Une fois arrêté, le jeune brigand tombe entre les mains de la justice et de son système, c'est-à-dire entre les mains de ces employés qui peuvent se montrer cléments et aidants. Mais, trop nombreux encore sont ceux qui favorisent le pouvoir punitif. Il finira par être incarcéré dans le but de protéger la masse. Cette incarcération s'avère souvent une défaite.

Un parent qui se questionne ?

Une femme me dit un jour : "J'ai du trouble avec mon fils, il ne va pas bien au plan social. On l'a pris à faire un coup à cent milles de chez nous ; il a quatorze ans. Son intervenant me pousse à le placer dans un centre d'accueil pour jeunes délinquants, je ne sais plus quoi faire". Il faut tout faire pour ramener votre enfant à la maison pour ainsi pouvoir l'aimer dans les faits. S'il se rend compte que ses parents s'occupent de lui, qu'ils tiennent à lui, qu'ils l'aiment, se sentira-t-il aimé, soutenu ? Et peut-être serons-nous surpris du résultat. Ce n'est pas évident quand les conflits arrivent à leur maximum et qu'on est dépassé par les événements. On se demande quoi faire pour sauver son enfant en train de se noyer, comment calmer ses ardeurs.

Une mise en garde se pose devant la solution magique d'un intervenant qui ne croit qu'à la réforme. Sans vouloir dénigrer la valeur de ces institutions et de leurs intervenants, un fait demeure : Beaucoup de jeunes qui passent par le chemin de ces institutions se ramassent au pénitencier.

Un enfant qui ne se sent pas aimé est comme une poule qui s'est fait couper la tête : il court partout pour la retrouver. S'il retrouve ce sentiment dans des personnes qui abuseront de lui, où va-t-il finir ? Puis, s'il est parti pour ces institutions, il devient une proie facile, ça c'est clair. Ce qui ne l'est pas, c'est comment ramener un adolescent dans un chemin, là où il ne se brûlera pas les doigts ni ceux des autres. C'est tout un pari que de le confier aux mains d'inconnus ! Cherchera-t-on à l'aider autant que s'il reste près de ceux qui l'aiment ?

Il y a de plus en plus de bons intervenants, ça c'est vrai. Avec eux, l'enfant peut apprendre à mieux se connaître, se retrouver et se respecter. Le jeune peut se perdre dans le chemin de la délinquance extrême et peut-être que non. Sur la route des centres d'accueil, il existe une mentalité informelle qui conduit à la délinquance enracinée. Il faut bien se l'avouer, ses nouveaux amis ne seront pas tous des enfants de coeur dans ce genre d'endroit. Gérer le problème de la délinquance d'un jeune, ce n'est pas simple, cela exige qu'on se dépasse soi-même et qu'on remette en question nos façons de faire dans la relation parent-enfant-intervenant.

Quand on pense avoir tout essayé et qu'un enfant se ramasse quand même dans un centre d'accueil, il est bon de le visiter, lui tenir la main, lui démontrer soutien et affection. Alors peut-être qu'ainsi ne s'enlisera-t-il pas pour une grande partie de sa vie dans une prison ou dans la souffrance. Grandir, ce n'est pas si simple !

*

Si on emprisonnait tous ceux qui le méritent ou qui ont connu une faille dans leur vie, il n'y aurait plus grand monde en liberté !

Qui est cet homme que l'on traite radicalement de criminel ? Un être génétiquement méchant à la base ? Les probabilités sont très fortes pour que la réponse soit non. Il le devient par apprentissage et selon des circonstances défavorables. Il n'est pas nécessairement un méchant comme certains ont tendance à le croire. Les méchants se retrouvent partout en société : dans le monde interlope, bien sûr, mais aussi dans le monde ordinaire de la société en général. J'oserais aller plus loin en croyant qu'aucun être humain n'a été parfaitement bon dans sa vie. Même les enfants qui sont si innocents se montrent parfois méchants avec les oiseaux.

Qui est le délinquant du point de vue humain, ce point de vue qui ne compte plus quand la société condamne. Qui est-il ce bandit en tant qu'être humain ? C'est faux de dire qu'il est insensible. Il peut être perdu, révolté ou avide d'argent facile, violent pour certains. Mais c'est un être humain et il a un cœur. S'il est révolté, ce n'est pas pour le simple plaisir : il y a une raison qui se cache derrière tout ça et qui le conduit à la délinquance. S'il n'est pas méchant à la base, c'est qu'il est peut-être perturbé au point de vue émotif. Quel est cet état ? Plusieurs ont perdu l'amour que Dieu avait déposé dans leur cœur quand ils ont vu le jour. Ils ont perdu la paix, égarée quelque part dans une des cases de leur âme. Ils ont perdu la joie de vivre, ils se sont perdus au plan social. Ce n'est donc pas seulement sur les réactions et les actions qu'il faut se baser pour définir une délinquance. Il faut tenir compte du degré de son état émotif, de ses qualités, de son potentiel, de son entourage, de l'écologie de son milieu, etc. Puis, il y a ceux qui sont atteints de psychose ; c'est à l'hôpital qu'ils devraient être et non en prison.

Donc on enferme dans les prisons, pour protéger la société, des gens qui dérogent de la ligne de conduite. Des gens en grande partie qui sont devenus mélangés au point de vue émotif. Ils ne sont pas nés méchants. Tout au plus un certain nombre d'entre eux le sont devenus en s'enlisant dans leur manque d'habileté à ressortir de leur rancœur, d'attitudes ou d'habitudes qui les perdent. La plupart sont que des humains qui ont dévié. Peut-on vraiment régler la délinquance en enfermant le fautif dans un cachot ? Est-il réaliste de penser qu'en lui faisant violence par l'isolement et ou en le prenant comme otage pour tranquilliser la société, on va le corriger ? La prison est le drapeau de la honte de notre humanité. N'est-ce pas surprenant de voir une société qui possède un tel drapeau et qui s'affiche comme un modèle de bonté ? Cette façon de faire est révolue : une société qui emploie une police pour frapper les gens à coups de matraque, qui gaze les foules et qui parfois utilise des armes pour faire feu sur des gens. Pourquoi ne se poserait-on pas la question : comment venir à bout de ce virus vengeur et punitif de l'humain ? Peut-être que personne n'en a démontré la nécessité. Peut-être que ces hurlements provenant des cachots va toucher un jour le monde.

Libération Conditionnelle

J'ai été souvent sous la tutelle des Libérations Conditionnelles et je devais me rapporter à un agent. Car même après la libération sous conditions, la sentence se poursuit en société jusqu'à ce que le temps soit complètement écoulé. Il existe un système de libération qui permet de sortir avant l'échéance de la sentence si vous avez une bonne conduite. Mais si vous vous élevez contre l'autorité et que vous prenez des rapports d'offense comme vous faire prendre à vendre de la drogue ou à en consommer, si on vous prend à commettre des gestes de violence, si vous envoyez promener les gardiens, si vous tentez de vous évader ou si vous essayez de faire entrer de la contrebande, ce sont des actes qui peuvent retarder la date de votre libération. Généralement, le plus longtemps que vous pouvez passer en prison sur la durée de votre terme est le deux tiers. Par contre, cette généralité tend à se resserrer pour les crimes à connotation violente et le gangstérisme. Pour ces gens, les maisons de transition sont plus fermées et les conditions de mise en liberté sont de plus en plus sévères. Pour une première offense dépourvue de violence, vous pouvez sortir après avoir purgé le sixième de votre sentence pour aller dans une maison de transition, si vous ne commettez pas de bévue, bien sûr. Pour ce qui est des autres qui ne font pas une sentence à vie, la sortie peut se faire six mois avant le tiers de la sentence et se rendre aux deux tiers. C'est toujours selon la conduite, les efforts de réhabilitation et la gravité du crime commis, souvent aussi selon vos performances devant la Commission des libérations conditionnelles. Vous pouvez obtenir des sorties de quelques heures avec un gardien qui vous sert d'escorte. Ensuite, ce sont des sorties sans escorte une fois par mois qui peuvent durer jusqu'à trois jours. Après, il y a les projets qui vous permettent d'aller soit en communauté le jour durant la semaine, soit faire du bénévolat pour la communauté. Ensuite vient le transfert en maison de transition. Un endroit de semi-liberté qui est quand même assez ouvert, encore une fois selon le cas. Vous pouvez y être de six à huit mois généralement, parfois plus. Ensuite vient la libération totale. Celle-ci vous oblige à vous rapporter à un agent de libération jusqu'à la fin de votre temps. Vous devez respecter les conditions de votre remise en liberté sinon c'est le retour au pénitencier.

Ce qu'il y a de plus dangereux chez un détenu, c'est de sombrer dans la révolte. Plusieurs détenus pourront dire : "Ils ne m'auront pas !" Pourtant, quand on revoit certains d'entre eux en liberté, nous pouvons constater par leurs propos qu'ils sont investis par la rage et la haine. Ils ne s'en rendaient pas compte mais on les avait eus. Bien sûr, ils n'étaient pas cassés comme le voulait l'écriteau sur le mur à la réception du vieux pénitencier : "Ici on plie le fer". Mais les injustices, le rejet, l'autorité et les institutions leur avaient donné la nausée. Dans leur cœur s'était installé une colère envers tout ce qui pouvait représenter les injustices subies durant leur vie.

J'ai failli être emporté par cette révolte. Comme les miracles sont choses courantes dans ma vie, j'ai pu me réveiller à temps et me tenir sur mes gardes. Je voyais bien que ça ne tournait pas rond en moi, je ne cessais de faire le procès de toutes les infamies commises à mon égard par la société : avocats, juges, policiers, familles, amis(es) qui m'avaient abandonné, trahi, fait du mal et qui m'avaient condamné. Je leur en voulais. Je n'étais plus en paix. Ils prenaient toute la place en moi pour y fixer un sentiment déplaisant ; jusqu'à ce que j'aie un cadeau de la vie ! J'ai pu, dans un dernier sursaut de volonté, comme quelqu'un qui se noie, faire un pas de plus. Et, de la noirceur dans laquelle je m'enfonçais, j'ai été éclairé. Les efforts pour devenir mieux dans ma peau semblaient donner des résultats.

Voici ce qui m'a attendri : des détenus m'ont aidé à me réveiller, des prisonniers comme moi, qui n'avaient aucune raison de m'aider, sauf celle de se retrouver dans la même barque que moi. Les hommes du bagne ont un coeur. Au début de ce troisième millénaire, on peut voir à la télévision l'exemple d'un passé décevant, plusieurs grands hommes de pouvoir qui ont dirigé par le passé le monde de façon tyrannique. On emploie des soldats précurseurs pour faire violence au peuple. Dans combien de livres peut-on lire l'exemple d'un lord qui condamnait un pauvre misérable au cachot et qui l'oubliait jusqu'à sa mort ? Ce dit infortuné dérangeait, avait faim, froid ou peur ; parfois d'accord, il était brigand.

Un délinquant déroge aux lois, la justice y mettra un terme. Mais pourquoi sans humanité, sans cœur et vengeresse ? Bien entendu, les victimes ont un lourd fardeau à porter. Suis-je capable d'imaginer la faille qu'elles portent en leur coeur ? Suis-je capable d'y toucher ? Un désespoir qui se veut insurmontable. Puis les conséquences de la criminalité obligent les délinquants à se responsabiliser. La vraie volonté du coeur d'une victime est-elle la vengeance ou celle de s'assurer qu'une personne délinquante va changer et ne causera plus, une fois libre, de tort aux autres ?

L'humanité détient des exemples cruels du passé. On peut en retrouver la preuve bien à l'abri dans les bibliothèques. Ils se portent garants de notre évolution et font rougir la morale de notre temps. On évolue, c'est vrai que l'on s'est amélioré, c'est tout à l'honneur de la société.

Les grands nous donnent l'impression de nous dire que nous nous dirigeons vers un monde meilleur. Tant mieux ! Pourtant : génocides, guerres, répression, misère et pauvreté se démarquent encore dans notre société moderne. Pourquoi ne ferions-nous pas un effort de plus pour le principe de la liberté ?

Quand on fait une guerre, on préconise des valeurs humaines, diplomatiques ou religieuses mais ce qui se trame sous les couvertures de ces grands principes sont souvent des valeurs commerciales, le pouvoir ou la prévention, tout au moins des politiques que plusieurs citoyens ne comprennent même pas.

Nos jeunes, les dirigeants de demain, ont du boulot. Ils auront à instaurer plus d'amour dans le monde !

Il ne faut pas se laisser charrier par ces propos au point de croire que tous ceux qui prêchent la démocratie sont de fins menteurs et des hypocrites. Les dirigeants ne sont que des êtres humains et on le comprend. Les humains ne sont pas parfaits, donc ils peuvent faire des erreurs !

Oui, le monde tend à être meilleur, mais beaucoup reste à faire.

LE DÉLINQUANT

Remerciements

Je voudrais remercier mes parents et ceux qui ont donné temps et amour pour la réalisation de ce roman.

Plus particulièrement M. Latourelle, Ronald-Georges Labonté, Lise Godbout, Lorraine Charbonneau, David Lefebvre et Claire Perron.

Amilie Marcotte et Marc L.(détenu) pour la réalisation du dessin en page couverture.

Darquise Paré(Larouche Bureautique) pour le graphisme et l'aide technique.

Un coup de cœur pour Jean-Marc, Vincent, Rosalie, Darquise pour m'avoir tenu la main